Perfect Pits

making the most of your scale aircraft cockpits

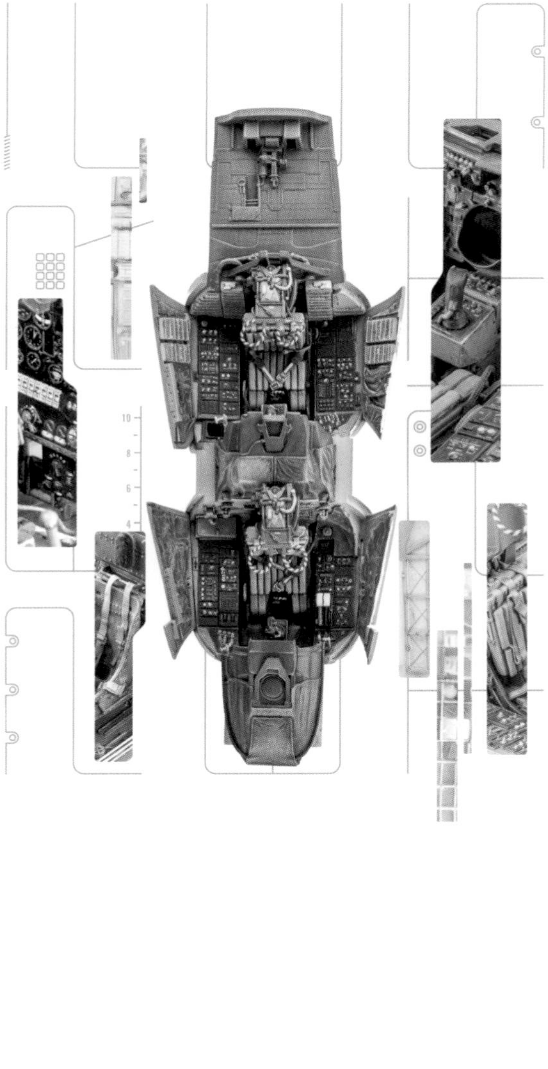

大日本絵画

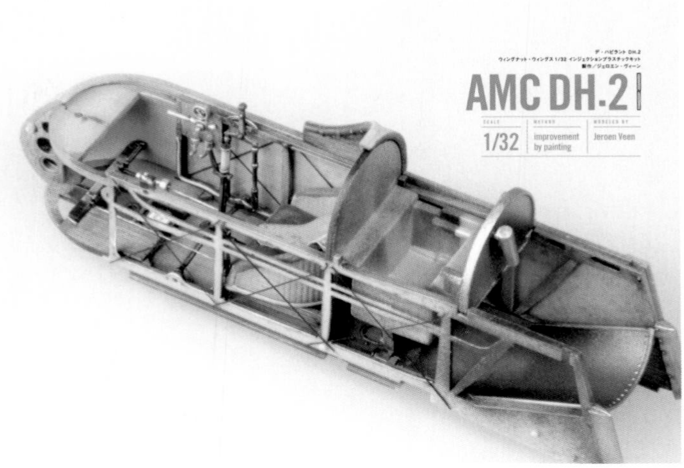

デ・ハビランド DH.2
ウィングナット・ウィングス 1/32 インジェクションプラスチックキット
製作／ジェロエン・ヴィーン

AMC DH.2

SCALE	METHOD	MODELED BY
1/32	improvement by painting	Jeroen Veen

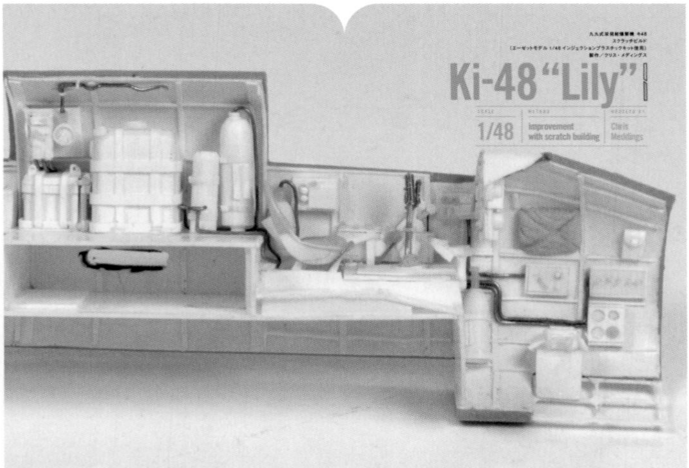

九九式双発軽爆撃機 キ48
スクラッチビルド
（エーゼットモデル 1/48 インジェクションプラスチックキット使用）
製作／クリス・メディングス

Ki-48 "Lily"

SCALE	METHOD	MODELED BY
1/48	improvement with scratch building	Chris Meddings

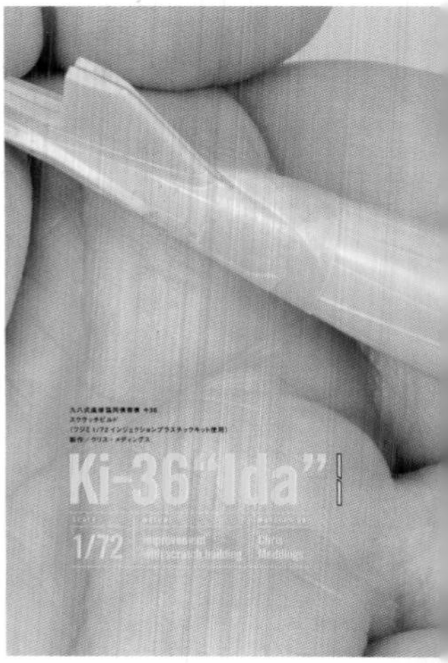

九八式直接協同偵察機 キ36
スクラッチビルド
（フジミ 1/72 インジェクションプラスチックキット使用）
製作／クリス・メディングス

Ki-36 "Ida"

SCALE	METHOD	MODELED BY
1/72	improvement with scratch building	Chris Meddings

P-40M-5 ウォーホーク
3D プリントによる改造とチッピング技法
（ハセガワ 1/32 インジェクションプラスチックキット使用）
製作／ウィル・パティソン

P-40M-5 Warhawk

SCALE	METHOD	MODELED BY
1/32	improvement with 3D and Chips	Will Pattison

F7F Tigercat タイガーキャット
3D プリントによる改造とチッピング技法
（ハセガワ 1/32 インジェクションプラスチックキット使用）
製作／フランク・ルービン

F7F Tigercat

SCALE	METHOD	MODELED BY
1/32	improvement with 3D and Chips	Fanch Lubin

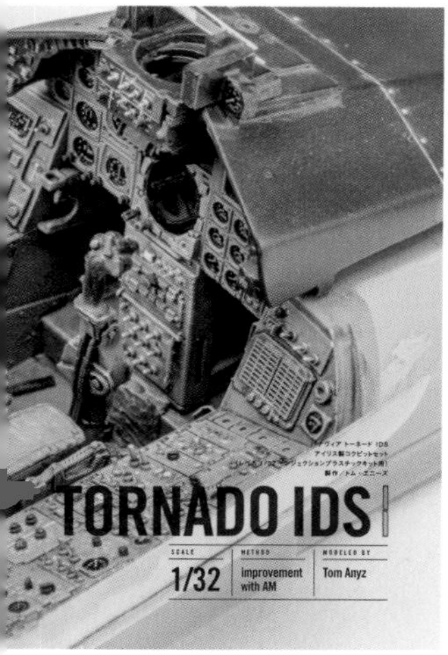

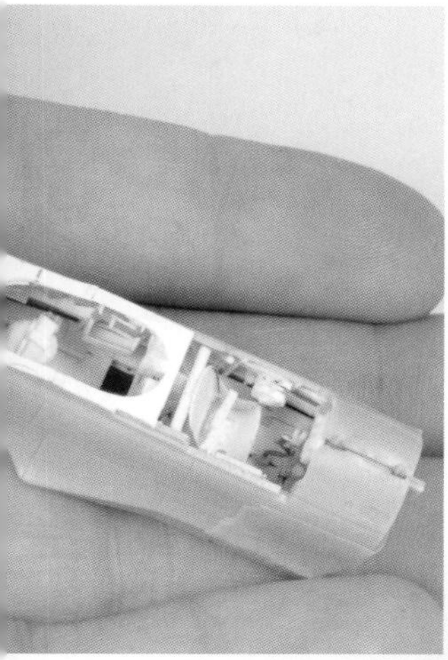

Perfect Pits

making the most of your scale aircraft cockpits

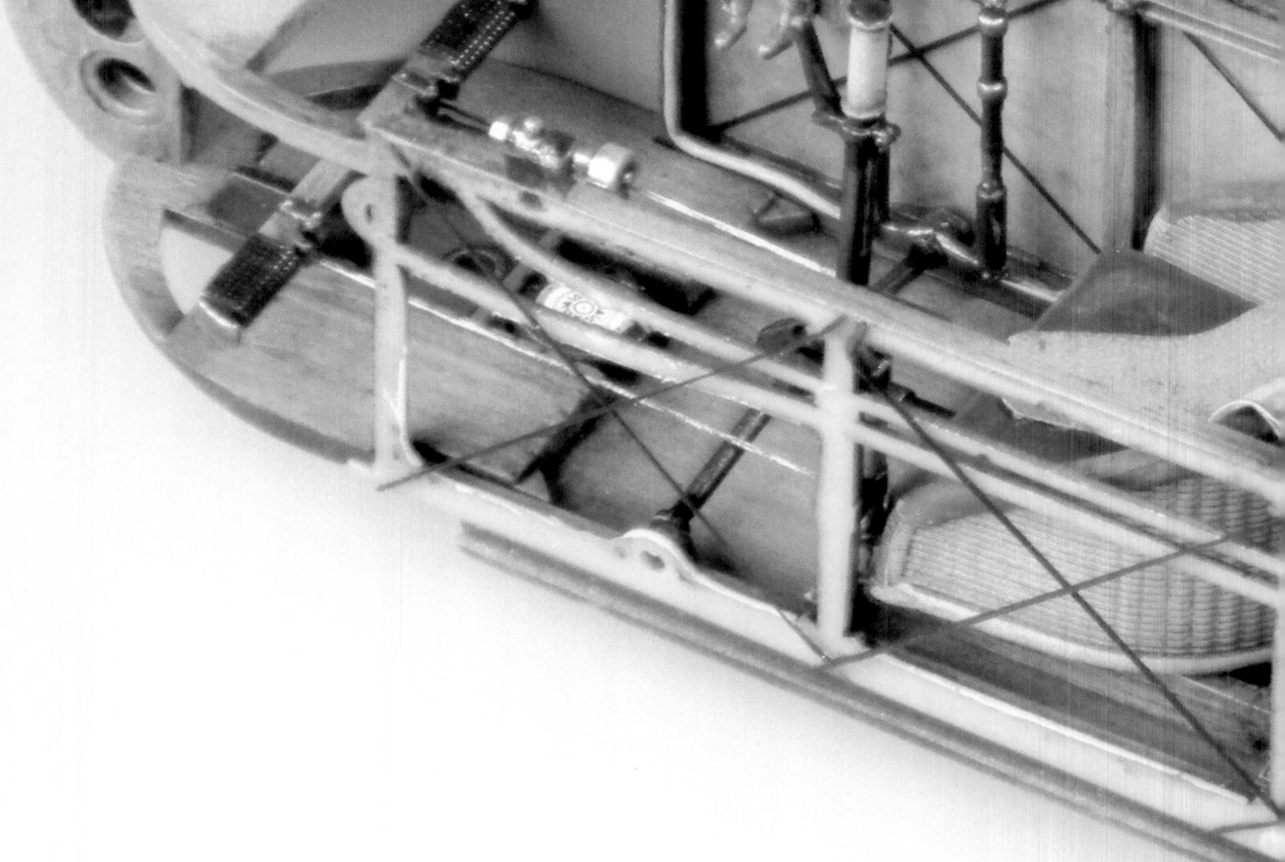

デ・ハビラント DH.2
ウィングナット・ウィングス 1/32 インジェクションプラスチックキット
製作／イェルーン・ビーン

AMC DH.2

SCALE	METHOD	MODELED BY
1/32	improvement by painting	Jeroen Veen

各種素材の塗装やウェザリングの手法

少し前のことですが、「コクピット」にフォーカスした出版企画に協力してくれないかと、クリスから誘われました。クリスとは過去に幾度も仕事をしていて、彼の熱意やプロ意識、そして編集者としての確かな見識に刺激されていたこともあり、ためらいなく即決しました。

最初にすべきことは、キット選びです。ところが 1/48 か 1/32、どちらのスケールを取るべきかでいきなり悩みました。どちらのスケールでも、コクピットのほとんどは胴体の中に隠されてしまうにも関わらず、かなり目を惹く部分だからです。私にとっての飛行機のコクピットとは、完成模型の品質に直結するもっとも重要なポイントなので、注意深く細部にこだわるというのが自分に課したルールなのです。

次に、現用戦闘機か、それとも過去の機体を選ぶべきかという決断で悩みました。現用機のコクピットも充分な「映え」は得られますが、「古き良きもの」のもつ魅力には抗えません。そんなわけで 1/32 スケールの第一次大戦機、それも戦闘機に落ち着いたのです。ところでスケールモデルのファンである読者の皆さんには余計な説明であると承知してますが、第一次大戦の航空機は、木材やキャンバス、金属、レザーなど実に様々な素材で組み立てられているのが大きな魅力です。これらの素材の特徴を引き出す試みは、常に困難ですが、それだけにチャレンジ精神を掻き立てられます。これは本書での挑戦にもうってつけです。そこで選んだキットは、ウイングナット・ウイングスの 1/32、AMC DH.2 です。私は常々この飛行機に興味がありながら未着手であったので、今回の機会を得て挑もうと決めたのです。

この企画は、コクピットに的を絞ります。DH.2 の製造に使われている各種素材の塗装やウェザリングの手法は無数にあります。私の方法はおそらく「古風」に属するでしょう。最新のウェザリング用の製品はほとんど使わず、エナメル系塗料やアクリル系塗料、油絵具が主体ですから。これらは私には理に適った手法ではあるけれど、個人の好みの問題なので、皆さんに押しつけることではありません。模型を望ましい形に仕上げるには、自分自身のスタイルを見つけ出すのが重要ですが、実践と練習が不可欠です。正しい方法や、間違っている方法があるというものではなく、様々なアプローチを試すことが、結果として納得の完成品を生み出すのです。本書から、読者が活用してみたいものや、求めていたものを選び、そこに自分なりの工夫を加えてみてください。それこそが模型趣味の醍醐味なのです。それでは、各種の素材と塗装の実践を開始しましょう。

AMC DH.2

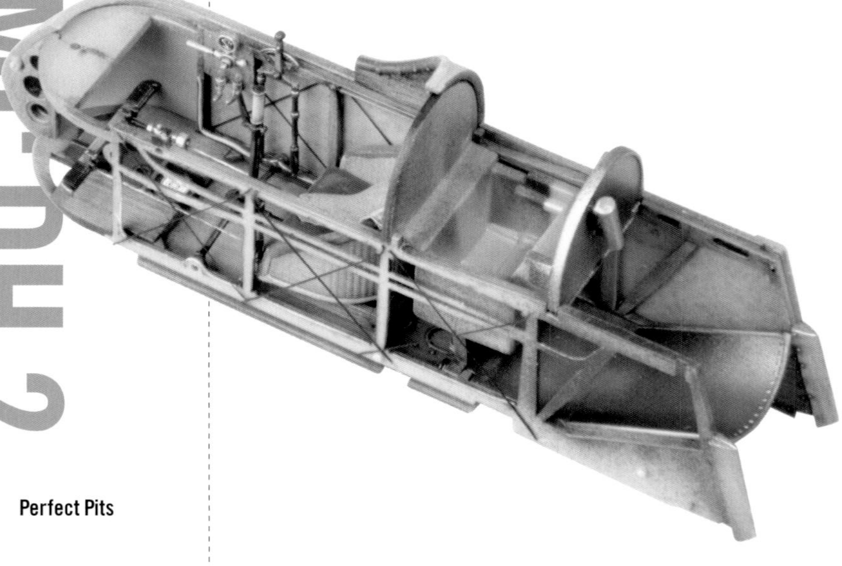

木材の表現／wood

プラスチックの上に木材の表現を出す方法は様々ですが、大きく３つのカテゴリーに分けられます。

デカール／decal

最初のカテゴリーはデカールです。「ウッド／木材調」デカールのサプライヤーは数多くあります。ざっとあげるだけで Aviattic（https://www.aviattic.co.uk/）、Uschivan der Rosten（https://www.uschivdr.com/）、HGW モデルズ（https://hgwmodels.cz/）などが思いつきます。通常ならデカールは、明るい色のベース塗装の上に貼ります。素早く手軽に木材を表現するにはうってつけですが、私の考えではふたつの大きな問題があります。一つは印刷位置がズレやすく、小さい部品には不向きと言うことです。それでも木材系の塗装に自信がない（あるいはデカールの見た目が好き）という方には、優れた解決策なのは確実です!

マスキングテープ／masking templates

ふたつ目がマスキングテープの活用です。エアブラシで明るいベースカラーを塗ってから、マスキングテープを配置します。このテンプレートの上から、少し濃いめの茶色や緑色をもう一度吹き付けます。その後でテンプレートを剥がすと、明るいベースコート上に濃い木目が現れます。さらに仕上げとして、油彩のローアンバーを薄く塗り、スポンジで落とすと良いでしょう。こうすることで、木材表現の上に、美しい茶色のフィルターができます。私はこの方法でいくつもの作品を完成させましたが、マスキングによるテンプレートは、小さな部位の塗装には不向きで、大きなパネル部分の塗装に適した方法です。

ペインティング／painting

三つ目が、この記事で紹介するものです。エアブラシや塗装を多用する、アクリル塗料や油絵塗料ベースのペインティングです。この方法は、各パネルに「個性的」な外観を加えられるので、気に入っています。以上の三種類の選択肢は、いずれも美しい表現を得られますが、好みはもちろん読者次第です。

キャンバス／canvas

私はデカールとペインティングのふたつをよく使います。特に「キャンバス」には多彩なデカールがあります。例えば Aviattic はブリーチ色から PC10 まで、様々な色を提供しています。通常、デカールは薄い下地の上に貼るので、些細な構造の違いを見つけやすくします。もうひとつは、黒のベースコートの上に選んだ色を塗るという方法です。例えば Drooling Bulldog（https://drooling-bulldog.webnode.cz/）はこの技術に適したラインナップを揃えています。どちらの場合でも、デカール上にさらにウェザリングを施せます。

レザー／leather

レザーの効果を出したい時は、アクリル塗料を使用しています。詳しい順序は追って解説します。レザーのデカールもあり、木材やキャンバスのような効果を出せるのですが、私はレザーの表現にはこうした方法を使っていないので、コメントは差し控えます。

金属／metal

金属表現では、対象によってふたつの方法を使い分けています。例えば、ラジエーターは金属色で塗ったあと（ファレホは説得力がある金属色を揃えています）、セピアやローアンバーの油塗料で暗めに塗り重ねます。塗装膜は薄く保ち、徐々にコントラストを強めるようにします。こうすると細部が浮き出て、驚くような仕上がりになるのです。ひとつのオブジェクトに異なる金属色を使用するのをためらわないように。ウォッシュ加工を施せば、様々な色が交ざり、作用して、おもしろい色になります。このテクニックは凹状のディティールが多いパーツに効果的です。もうひとつの技はパーツを濃いグレーまたはブラックで塗装してから、ドライブラシを使ってメタルカラーを塗り重ねる方法です。これも細心の注意を要します。控えめな光沢を心がけてください。このテクニックは、凸状のディティールが多いパーツに有効です。ほかにもさまざまなテクニックがありますが、好みに応じて選んでみてください!

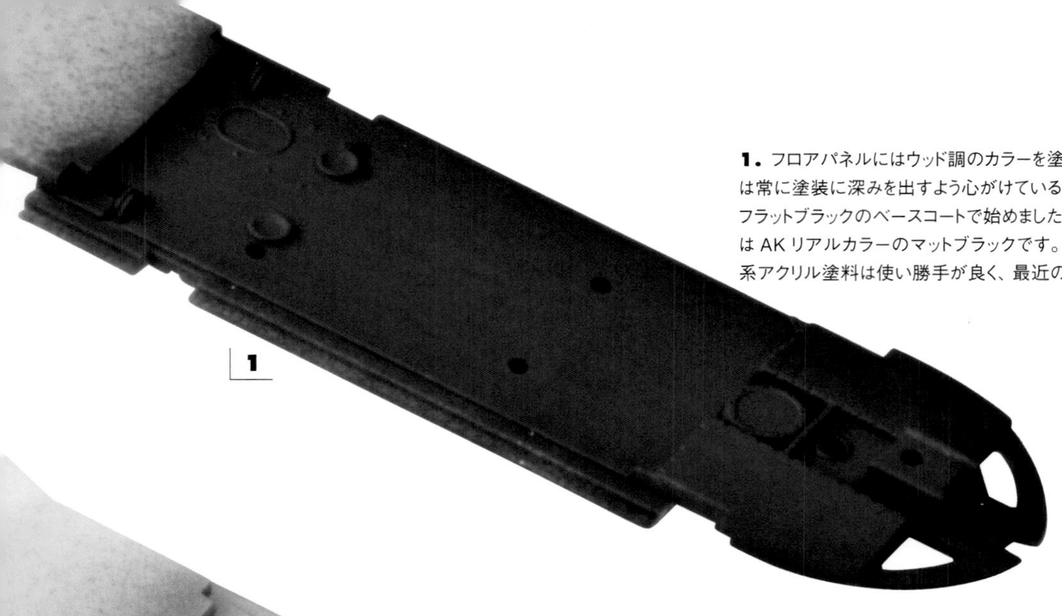

1

1. フロアパネルにはウッド調のカラーを塗装します。私は常に塗装に深みを出すよう心がけているので、今回はフラットブラックのベースコートで始めました。使用したのはAKリアルカラーのマットブラックです。このラッカー系アクリル塗料は使い勝手が良く、最近の愛用品です。

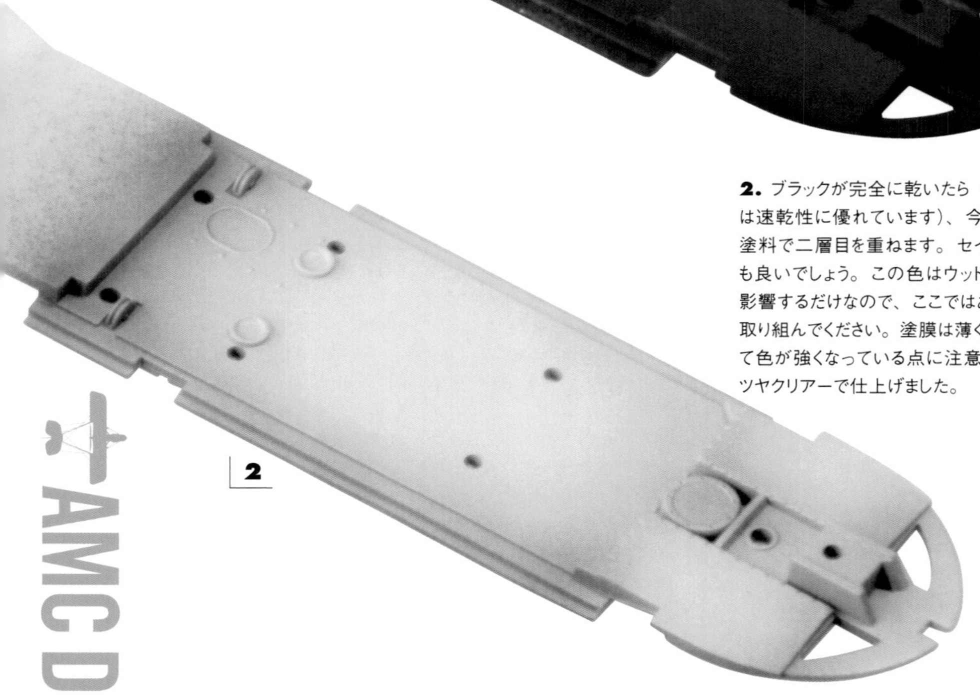

2

2. ブラックが完全に乾いたら（ラッカー系アクリル塗料は速乾性に優れています）、今度はバフ（淡黄）系の塗料で二層目を重ねます。セイルやデザート・サンドでも良いでしょう。この色はウッドパネルの仕上げに少し影響するだけなので、ここではある程度は自由な気分で取り組んでください。塗膜は薄く、パネルの中央に向かって色が強くなっている点に注意してください。塗装は半ツヤクリアーで仕上げました。

3

3. 最初のパネルに、私はランダムに次のようなオイルカラーを塗装しました。ヴァン・ダイク・ブラウン、ロー・アンバー、セピアを少々、あるいはバーント・アンバーも選択できます。今回は最初のふたつだけを使っています。塗膜をあまり厚くしないようにします。そして5分ほど放置しておきます。

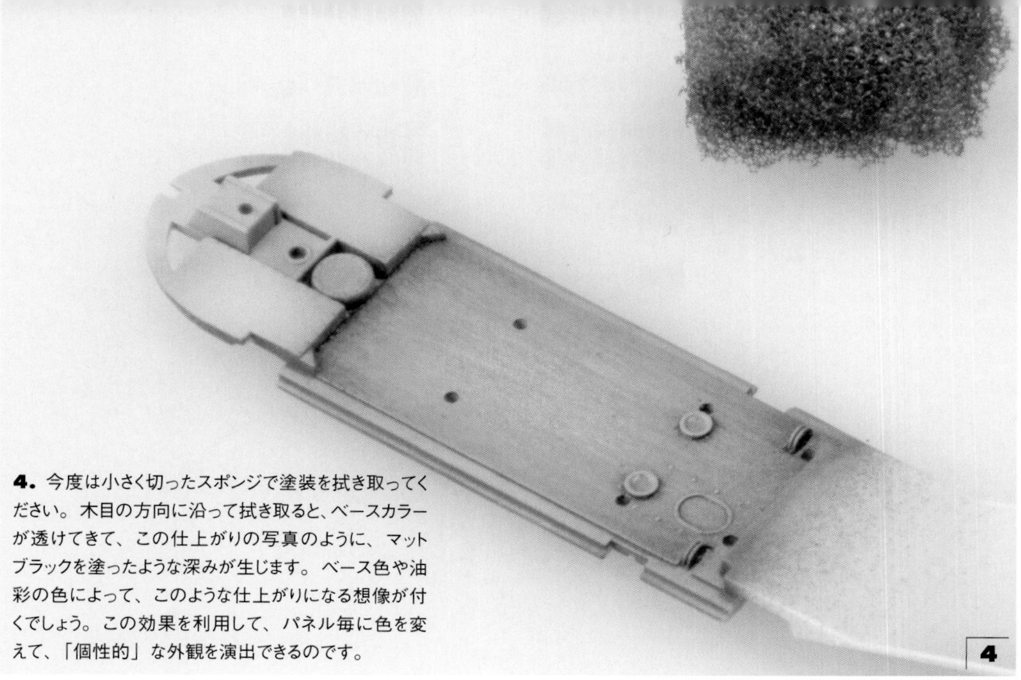

4

4. 今度は小さく切ったスポンジで塗装を拭き取ってください。木目の方向に沿って拭き取ると、ベースカラーが透けてきて、この仕上がりの写真のように、マットブラックを塗ったような深みが生じます。ベース色や油彩の色によって、このような仕上がりになる想像が付くでしょう。この効果を利用して、パネル毎に色を変えて、「個性的」な外観を演出できるのです。

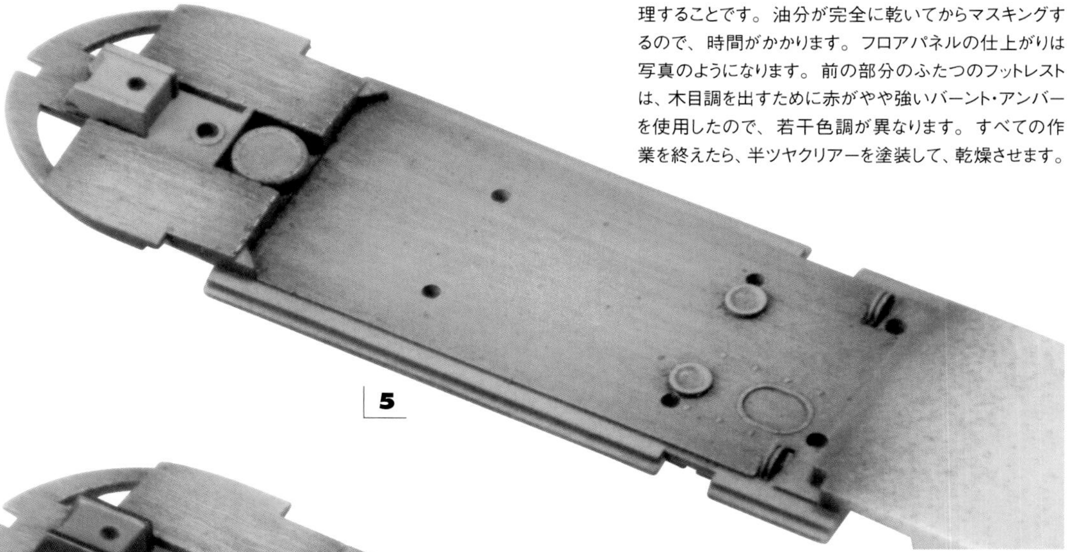

5

5. ウッドパネル塗装のコツは、すべての面を別個に処理することです。油分が完全に乾いてからマスキングするので、時間がかかります。フロアパネルの仕上がりは写真のようになります。前の部分のふたつのフットレストは、木目調を出すために赤がやや強いバーントアンバーを使用したので、若干色調が異なります。すべての作業を終えたら、半ツヤクリアーを塗装して、乾燥させます。

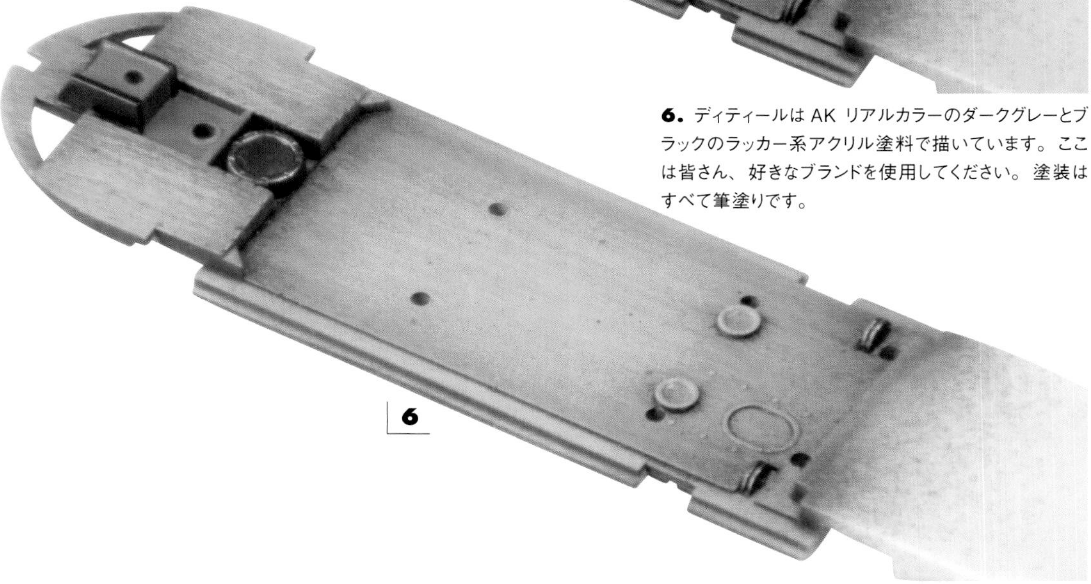

6

6. ディティールはAK リアルカラーのダークグレーとブラックのラッカー系アクリル塗料で描いています。ここは皆さん、好きなブランドを使用してください。塗装はすべて筆塗りです。

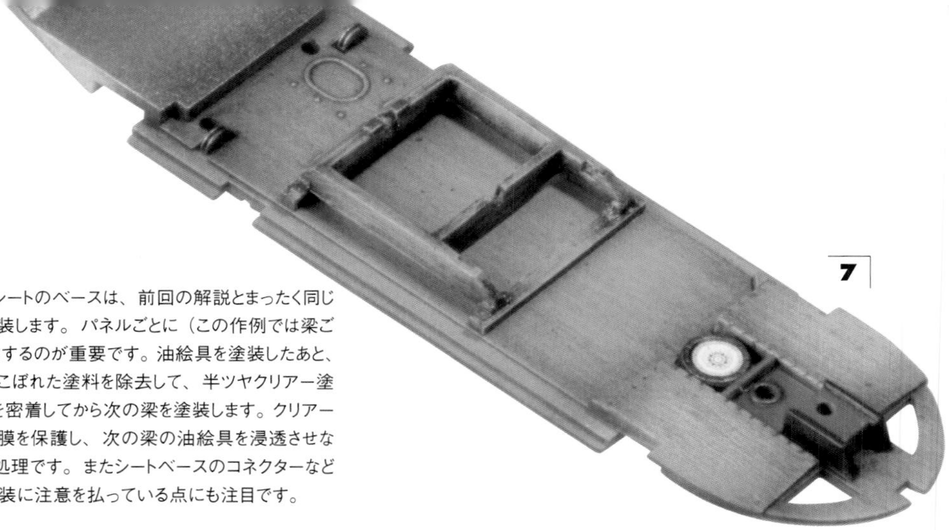

7

7. 座席シートのベースは、前回の解説とまったく同じ順序で塗装します。パネルごとに（この作例では梁ごとに）作業するのが重要です。油絵具を塗装したあと、他の梁にこぼれた塗料を除去して、半ツヤクリアー塗装した梁を密着してから次の梁を塗装します。クリアーは梁の塗膜を保護し、次の梁の油絵具を浸透させないための処理です。またシートベースのコネクターなど細部の塗装に注意を払っている点にも注目です。

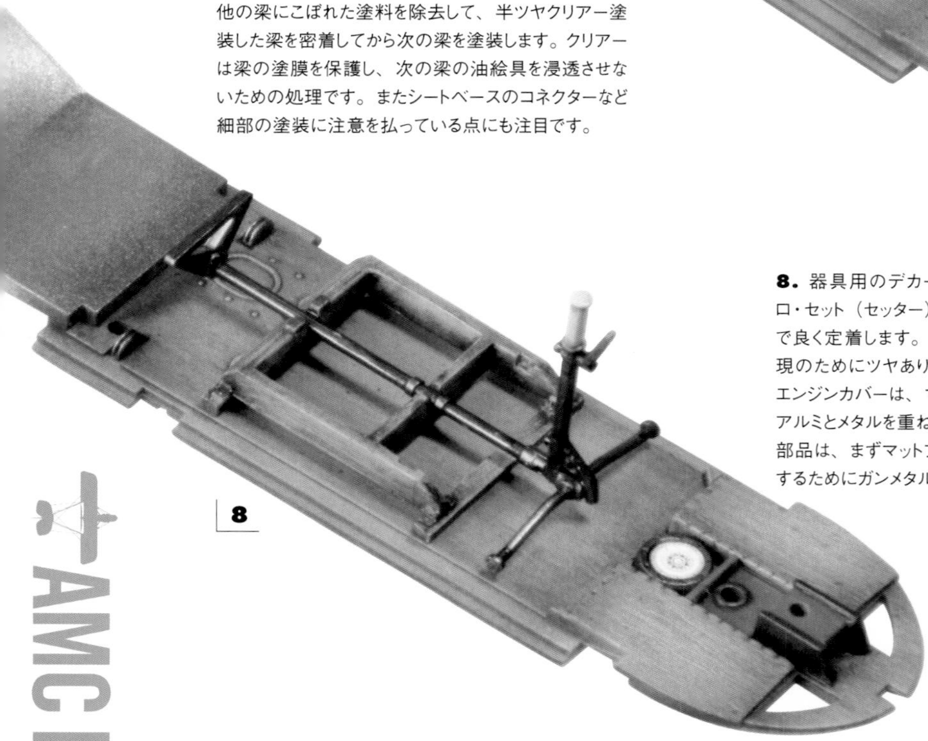

8

8. 器具用のデカールはキット付属品で、マイクロ・セット（セッター）とマイクロ・ゾル（フィッター）で良く定着します。完全に定着したら、ガラス表現のためにツヤありクリアーを何層か塗装します。エンジンカバーは、マットブラックを塗装後、ダークアルミとメタルを重ねました。センターポールと周辺部品は、まずマットブラックで塗装し、細部を強調するためにガンメタルを軽めにドライブラシしました。

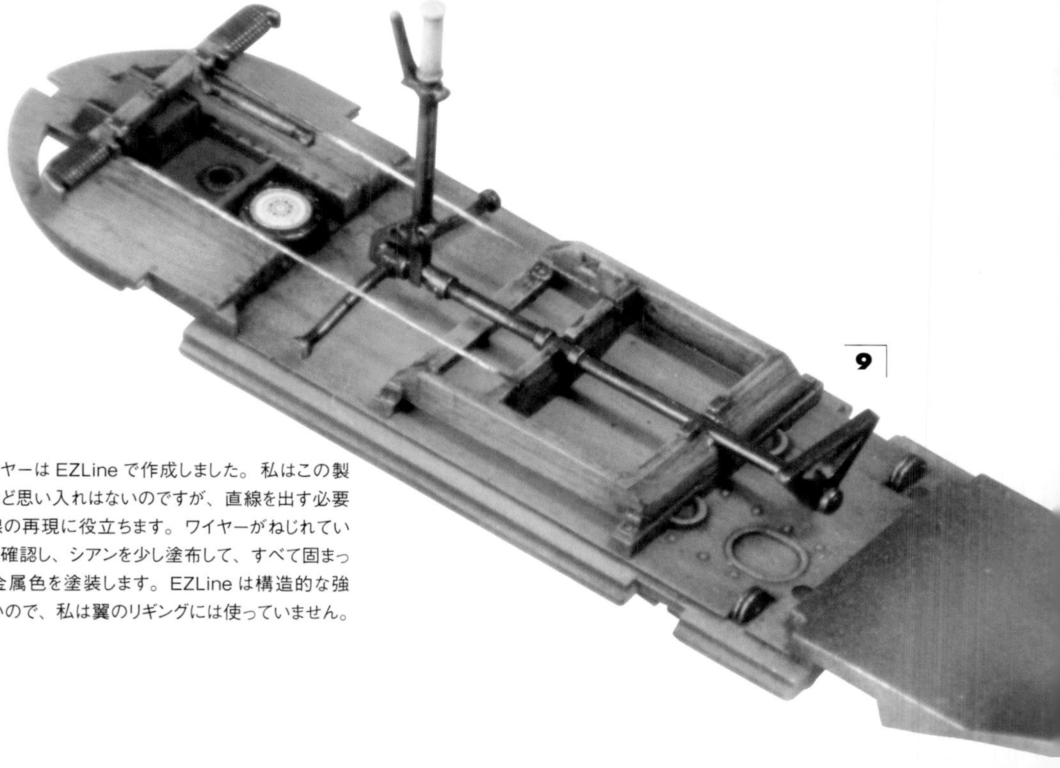

9

9. ワイヤーは EZLine で作成しました。私はこの製品にさほど思い入れはないのですが、直線を出す必要がある線の再現に役立ちます。ワイヤーがねじれていないのを確認し、シアンを少し塗布して、すべて固まった後で金属色を塗装します。EZLine は構造的な強度がないので、私は翼のリギングには使っていません。

10. シートについて。ブル・タックなどの粘着剤で木片に貼り付け、AKリアルカラーズ・サンドをエアブラシで塗装しました。もちろん最初にマットブラックのベースコートを塗っていますが、写真ではまだ薄く透けて見えています。

11. ヴァン・ダイク製の油彩を薄め液で薄めてウォッシュしてみました。薄めた塗料と言うより、着色した薄め液に近いでしょう。ローアンバーも使えます。その後、ウォッシュ剤を注意深く塗装することで、写真のように細部が立ってきます。これを満足いくコントラストが得られるまで繰り返します。この工程は、塗装に生命を吹き込むような感じがして、私は大好きです。次の作業に移る前にしっかり乾燥させます。

10

11

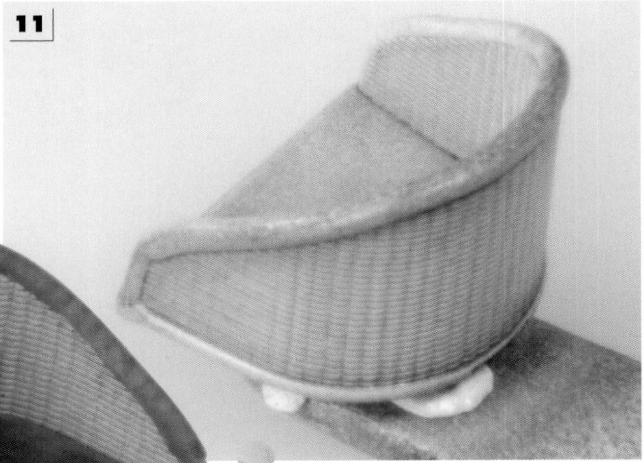

12

12. レザー部分はアクリル塗料を使っています。最初は比較的濃い色から始めて、細部を明るくしていきます。色と色の間のグラデーションが滑らかになるようにします。仕上げにダークブラウンの油絵具で1回以上ウォッシュしてください。こうすることで色彩がまとまります。完全に乾燥させます。

13. コクピットの左右のフレームも木製なので、先の塗装手順の繰り返しです。フレームはエアブラシでマットブラックを吹き付けた後、バフを塗り、半ツヤクリアーを重ね塗りしています。

14. ここでは塗装の順序を分かりやすく説明します。まず茶色の油絵具で梁の部材を塗装し、スポンジできれいに拭き取ります。これで木目の表現を強調できます。その後、桁材の部分を小さなブラシと薄め液で丁寧にクリーニングします。油絵具が完全に乾いたら、半ツヤクリアーを薄く塗装します。

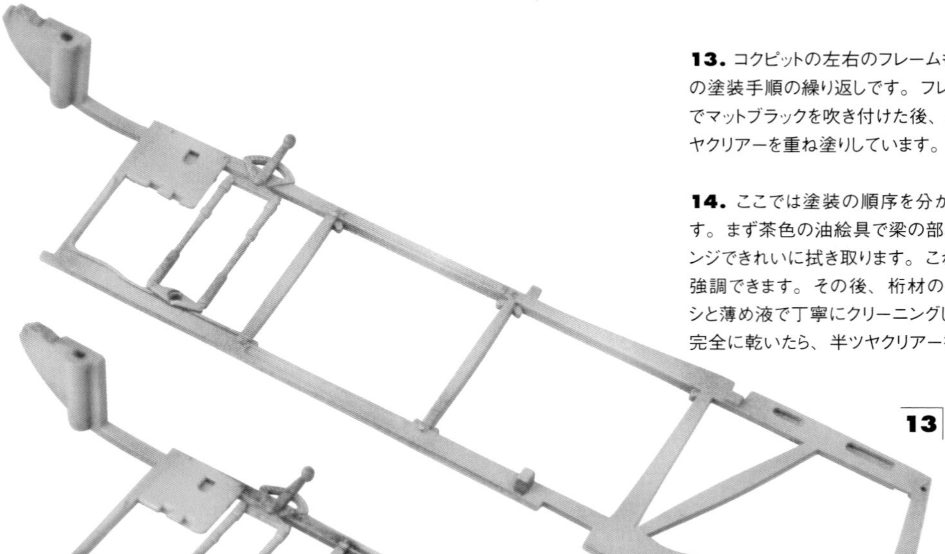

13

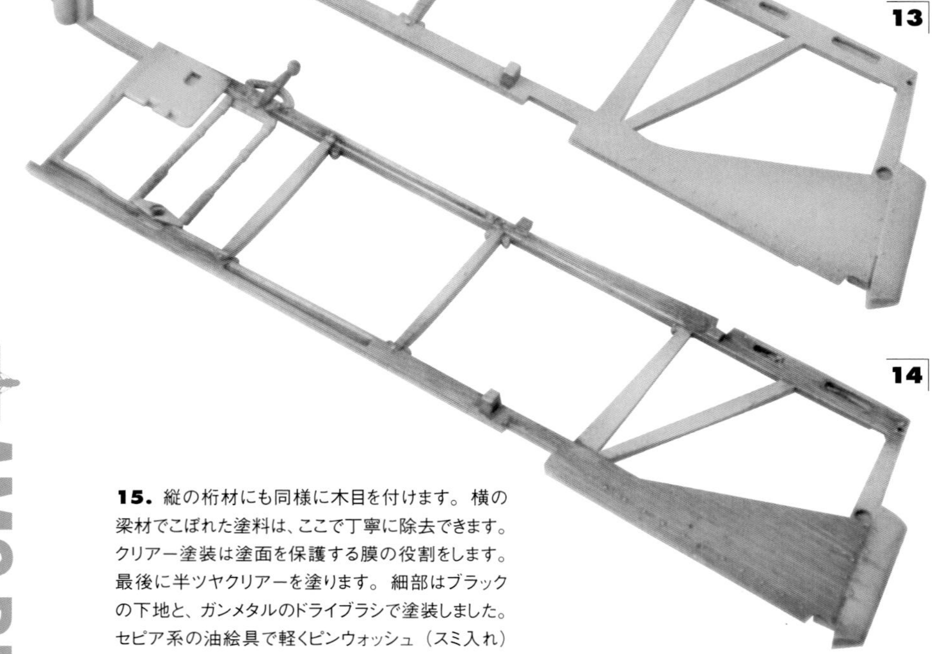

14

15. 縦の桁材にも同様に木目を付けます。横の梁材でこぼれた塗料は、ここで丁寧に除去できます。クリアー塗装は塗面を保護する膜の役割をします。最後に半ツヤクリアーを塗ります。細部はブラックの下地と、ガンメタルのドライブラシで塗装しました。セピア系の油絵具で軽くピンウォッシュ（スミ入れ）すると、ディティールがより明確になります。

15

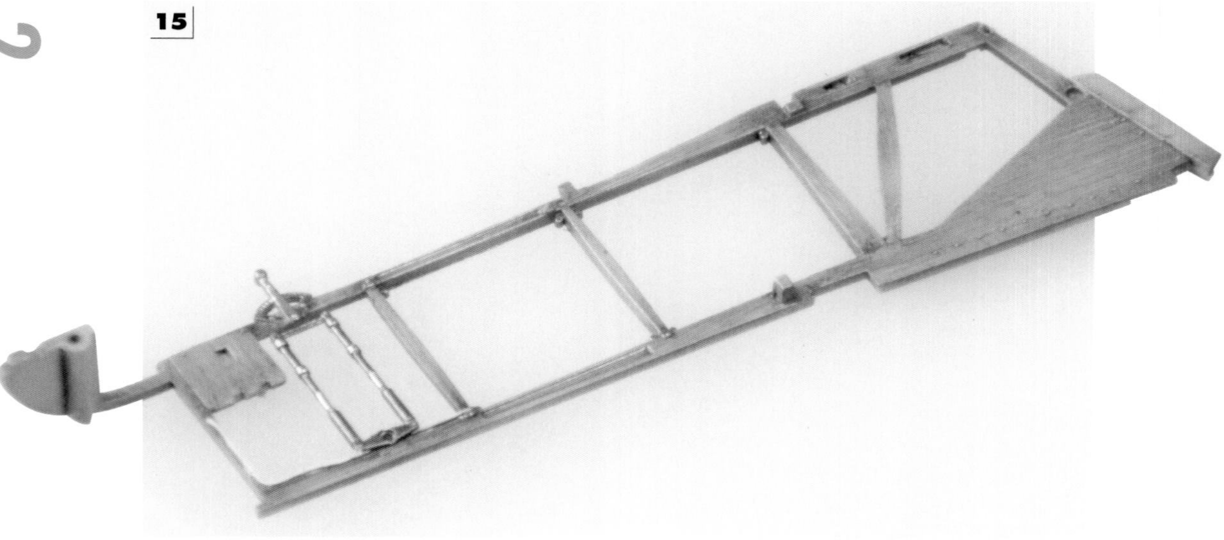

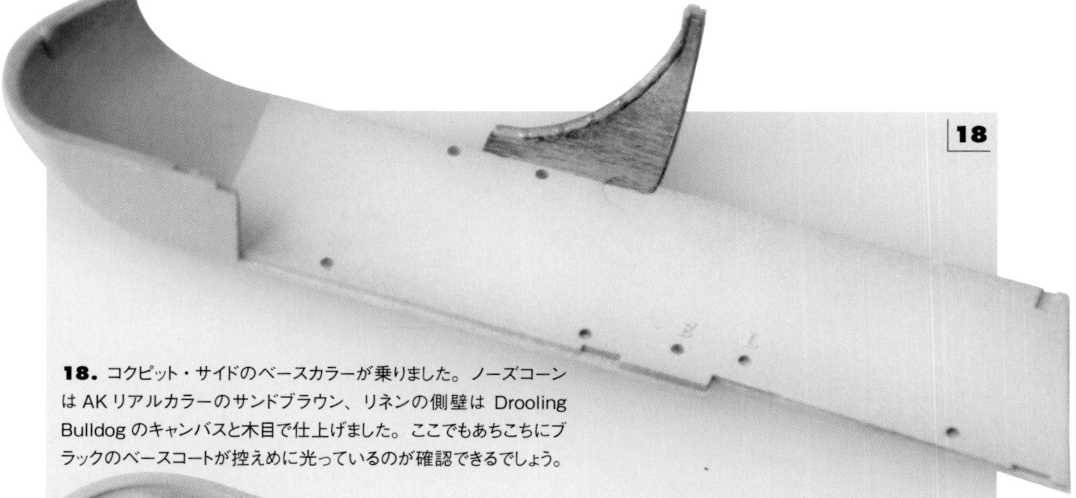

18. コクピット・サイドのベースカラーが乗りました。ノーズコーンはAKリアルカラーのサンドブラウン、リネンの側壁はDrooling Bulldogのキャンバスと木目で仕上げました。ここでもあちこちにブラックのベースコートが控えめに光っているのが確認できるでしょう。

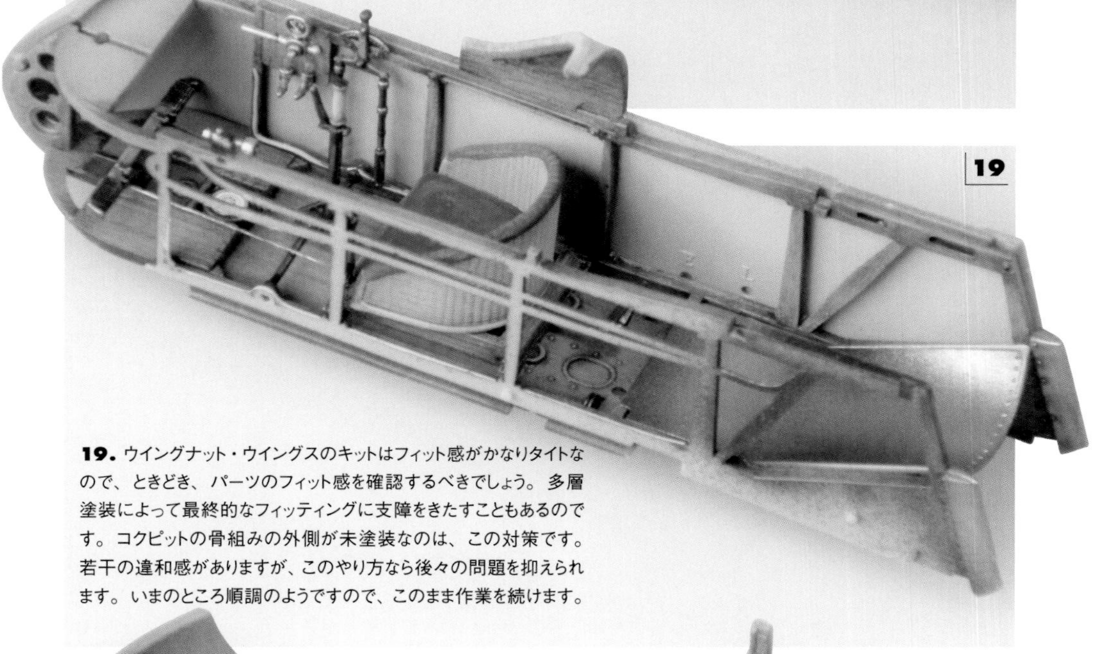

19. ウイングナット・ウイングスのキットはフィット感がかなりタイトなので、ときどき、パーツのフィット感を確認するべきでしょう。多層塗装によって最終的なフィッティングに支障をきたすこともあるのです。コクピットの骨組みの外側が未塗装なのは、この対策です。若干の違和感がありますが、このやり方なら後々の問題を抑えられます。いまのところ順調のようですので、このまま作業を続けます。

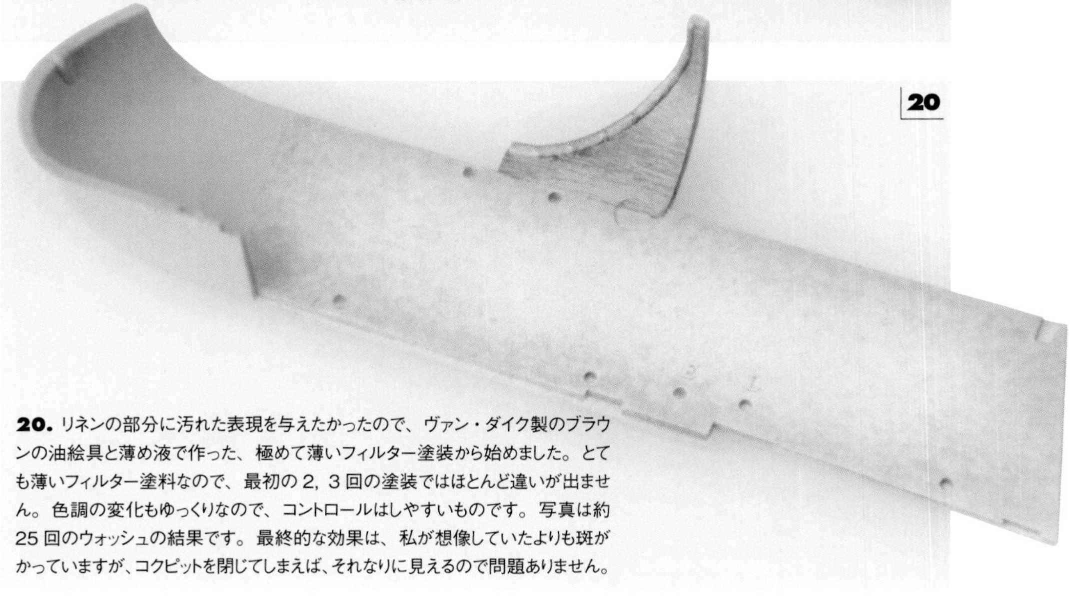

20. リネンの部分に汚れた表現を与えたかったので、ヴァン・ダイク製のブラウンの油絵具と薄め液で作った、極めて薄いフィルター塗装から始めました。とても薄いフィルター塗料なので、最初の2，3回の塗装ではほとんど違いが出ません。色調の変化もゆっくりなので、コントロールはしやすいものです。写真は約25回のウォッシュの結果です。最終的な効果は、私が想像していたよりも斑がかっていますが、コクピットを閉じてしまえば、それなりに見えるので問題ありません。

21

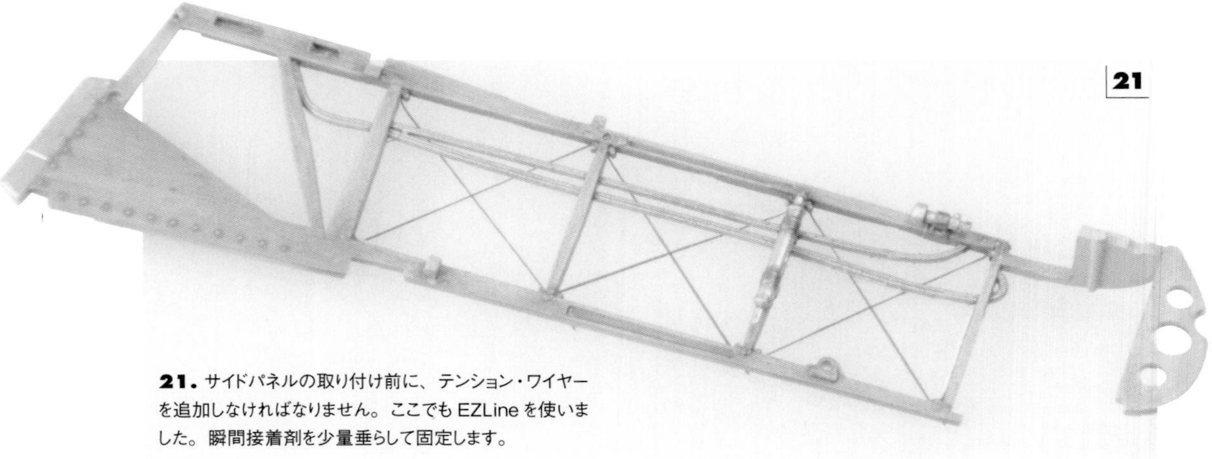

21. サイドパネルの取り付け前に、テンション・ワイヤーを追加しなければなりません。ここでもEZLineを使いました。瞬間接着剤を少量垂らして固定します。

22

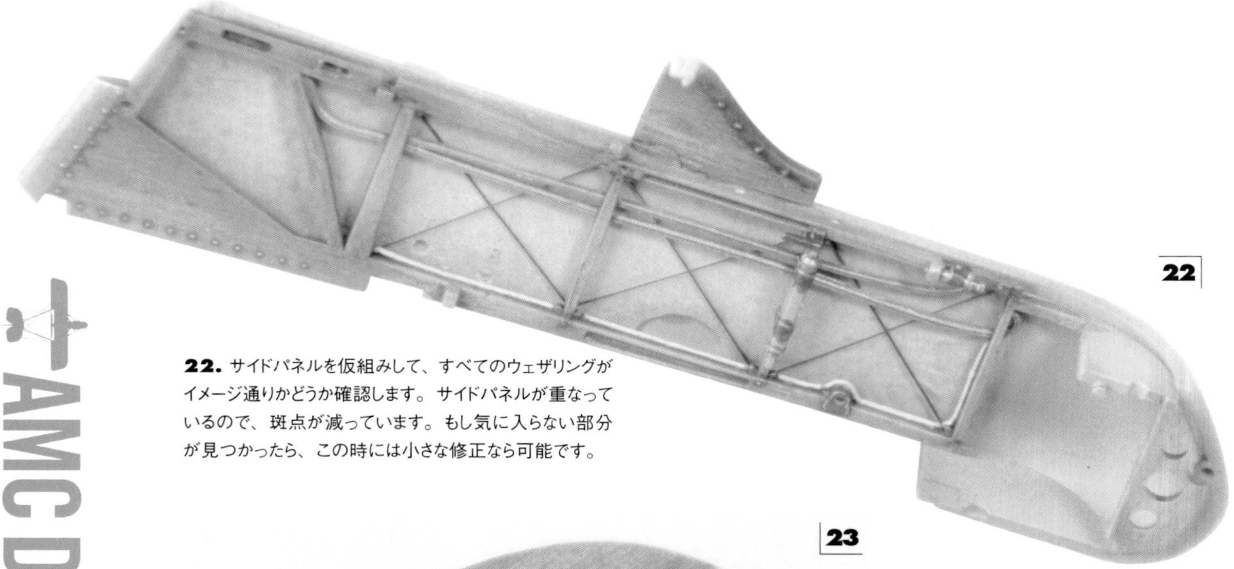

22. サイドパネルを仮組みして、すべてのウェザリングがイメージ通りかどうか確認します。サイドパネルが重なっているので、斑点が減っています。もし気に入らない部分が見つかったら、この時には小さな修正なら可能です。

23

24

23. 木工部品をすべて塗装したら、ブラシで器械類を塗装し、セピア系の油絵具で薄くウォッシングします。これが完全に乾燥してから、キットに入っていた美麗な計器のデカールを貼りました。そして上から何度もツヤアリクリアーを塗り、ガラスカバーのような表現を出しました。この部分は時間をかけて丁寧に仕上げるほど、模型の完成度が際立ちます。

24. 座席の背後の燃料タンクも、ここまでおなじみの処理をしています。まずンベースコートの上にマットブラックを塗装しました。この作業にはマスキングが必要ですが、先にこの作業を済ませてから上塗りをすると楽です。まずリネン材をウェザリングして、次に木目を描きました。その後、リネンをマスキングして、木材の上に半ツヤクリアーを軽く塗っています。

16

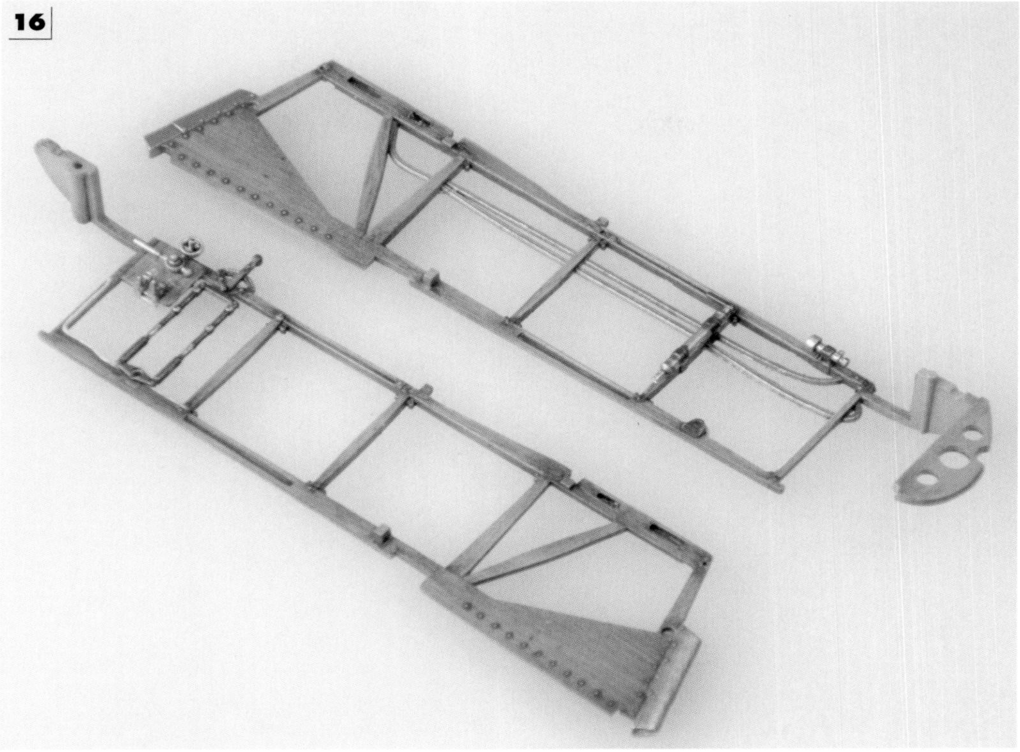

16. この写真ではカッパー（銅）のディティールを目立たせます。明瞭なカッパーの色を得るには、まず細部を銀で塗ります。そしてこのベースコートの上に、薄めにしたカッパーを何層も塗り重ね、その上から優しくウォッシュします。この工程を、納得いく色が出るまで続けます。通常は３回ほど重ね塗りすれば、写真のような仕上がりとなります。

17. カッパーのディティールは、ローアンバーの油絵具を薄く塗って深みを出し、際立たせるようにします。私はフィルターに近い薄さのウォッシュを使って、ゆっくりと狙った色の濃度を高めます。コントラストの程度は個々人の好みです。

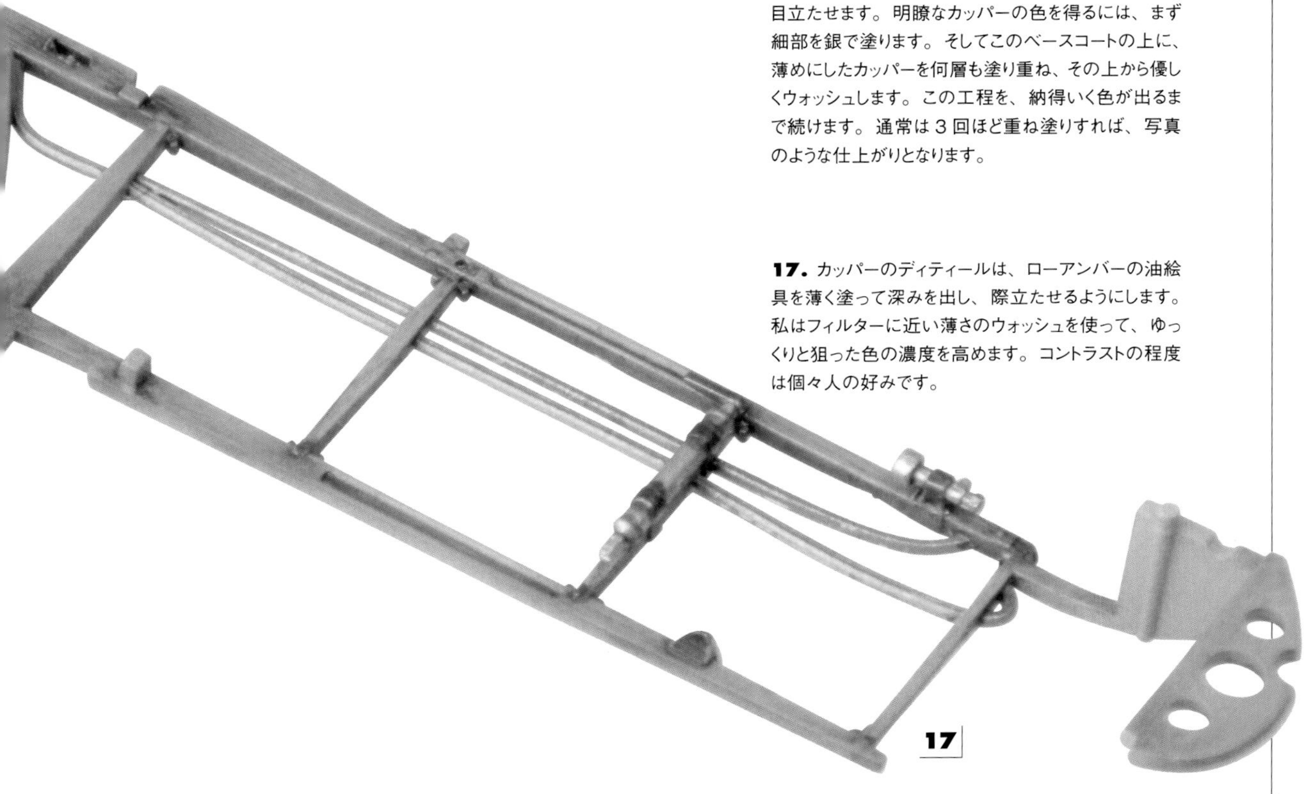

17

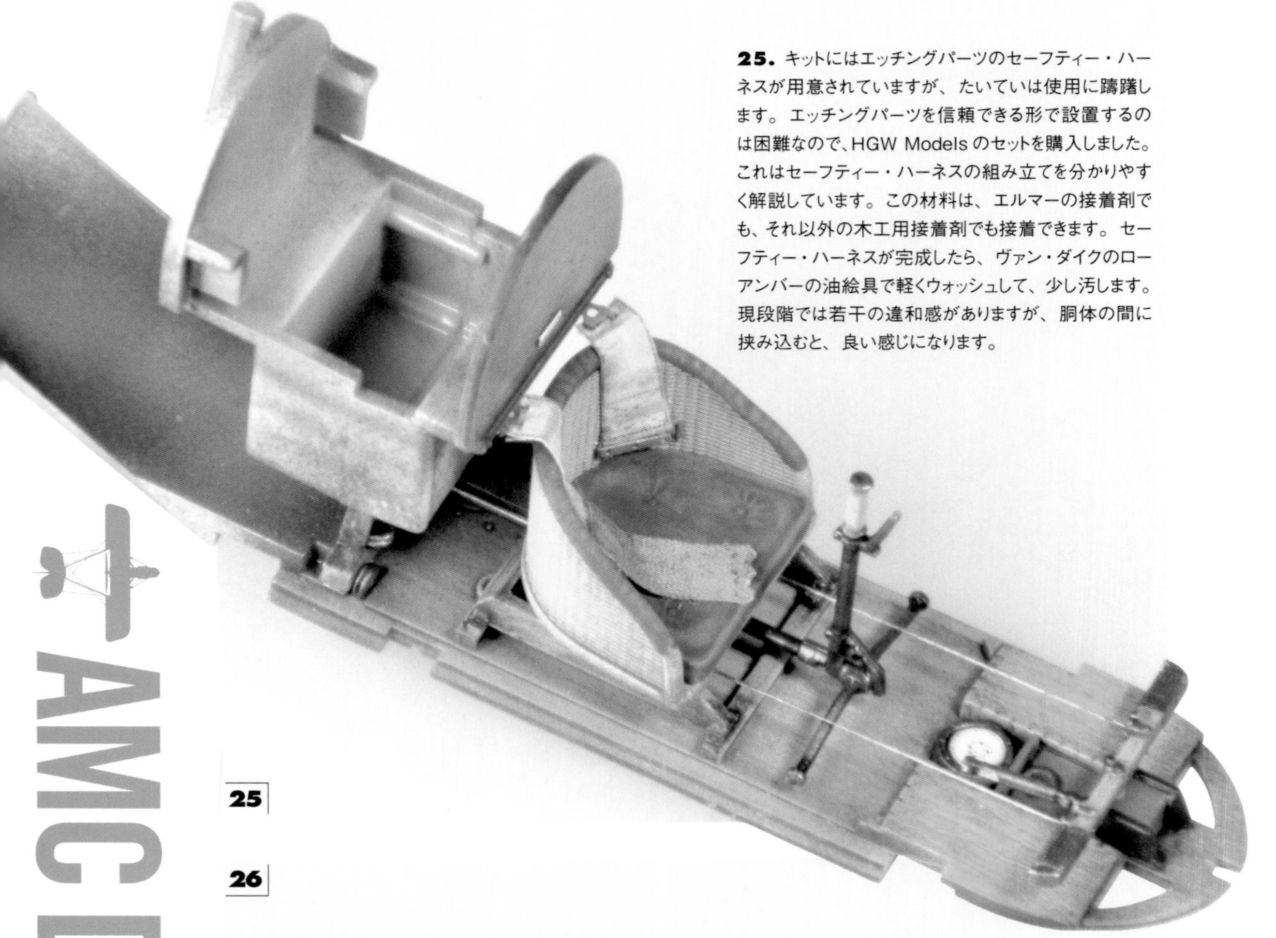

25. キットにはエッチングパーツのセーフティー・ハーネスが用意されていますが、たいていは使用に躊躇します。エッチングパーツを信頼できる形で設置するのは困難なので、HGW Modelsのセットを購入しました。これはセーフティー・ハーネスの組み立てを分かりやすく解説しています。この材料は、エルマーの接着剤でも、それ以外の木工用接着剤でも接着できます。セーフティー・ハーネスが完成したら、ヴァン・ダイクのローアンバーの油絵具で軽くウォッシュして、少し汚します。現段階では若干の違和感がありますが、胴体の間に挟み込むと、良い感じになります。

25

26

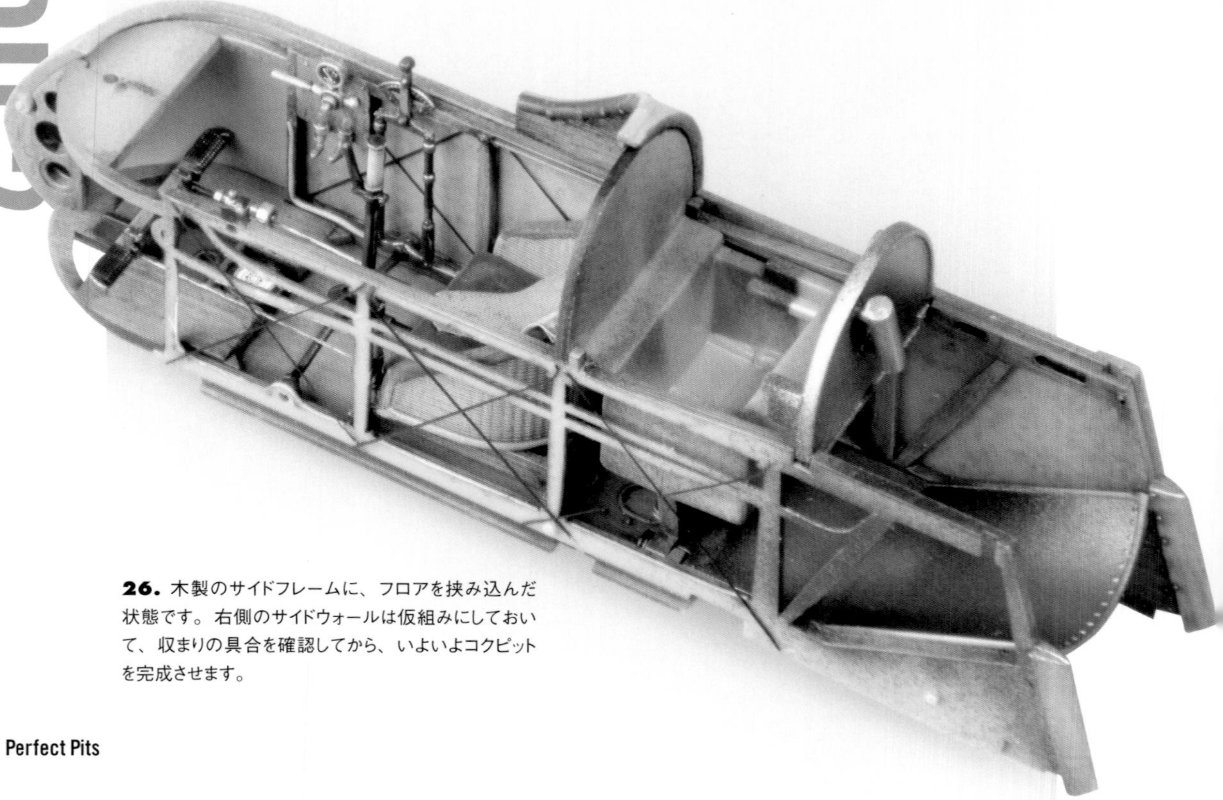

26. 木製のサイドフレームに、フロアを挟み込んだ状態です。右側のサイドウォールは仮組みにしておいて、収まりの具合を確認してから、いよいよコクピットを完成させます。

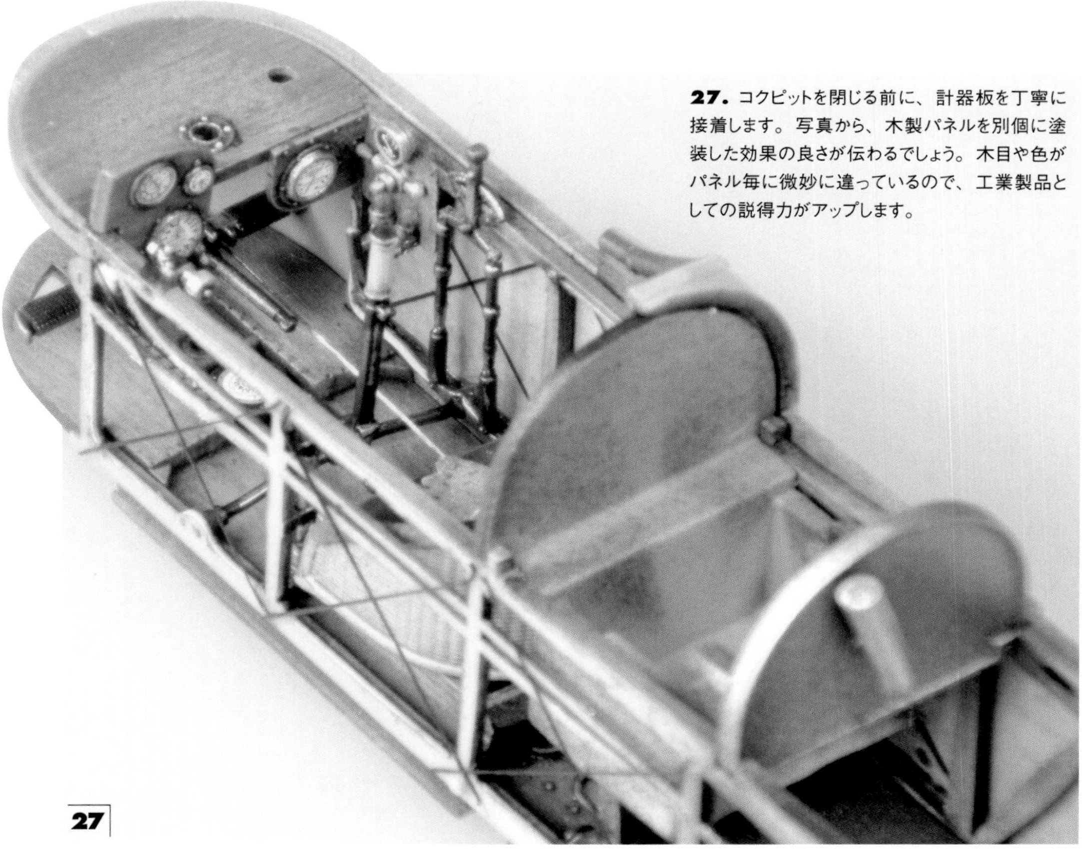

27

27. コクピットを閉じる前に、計器板を丁寧に接着します。写真から、木製パネルを別個に塗装した効果の良さが伝わるでしょう。木目や色がパネル毎に微妙に違っているので、工業製品としての説得力がアップします。

28

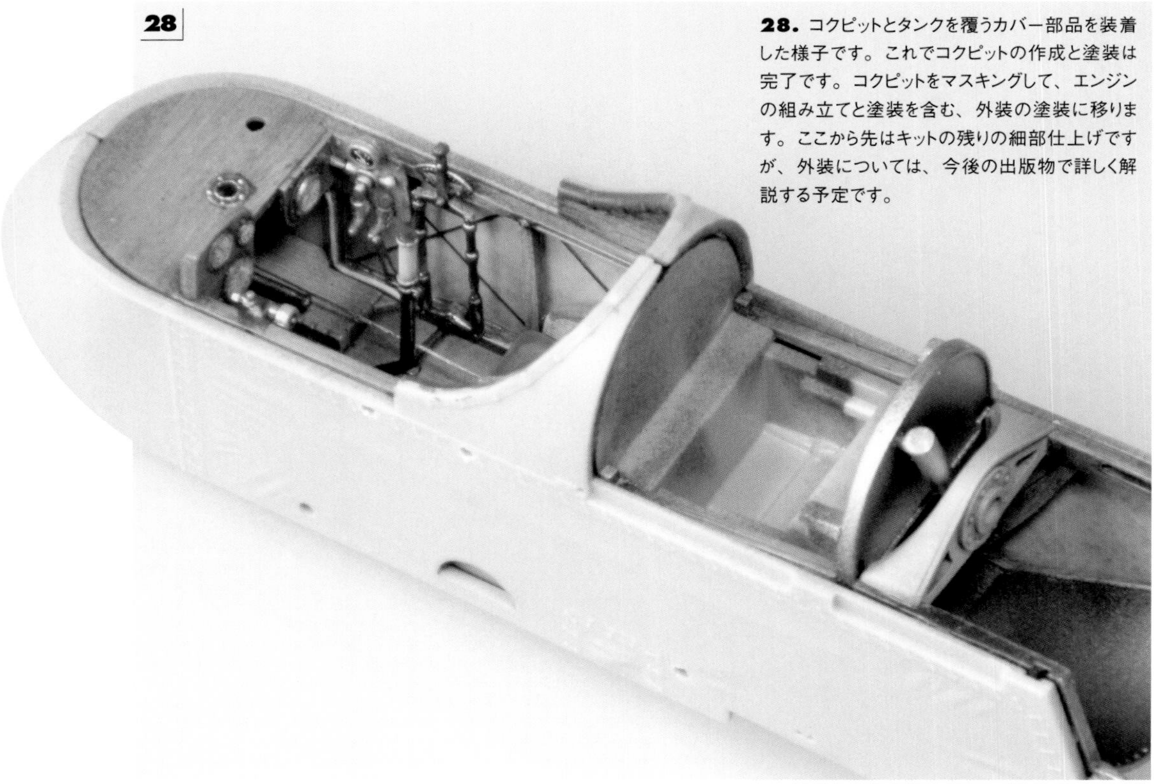

28. コクピットとタンクを覆うカバー部品を装着した様子です。これでコクピットの作成と塗装は完了です。コクピットをマスキングして、エンジンの組み立てと塗装を含む、外装の塗装に移ります。ここから先はキットの残りの細部仕上げですが、外装については、今後の出版物で詳しく解説する予定です。

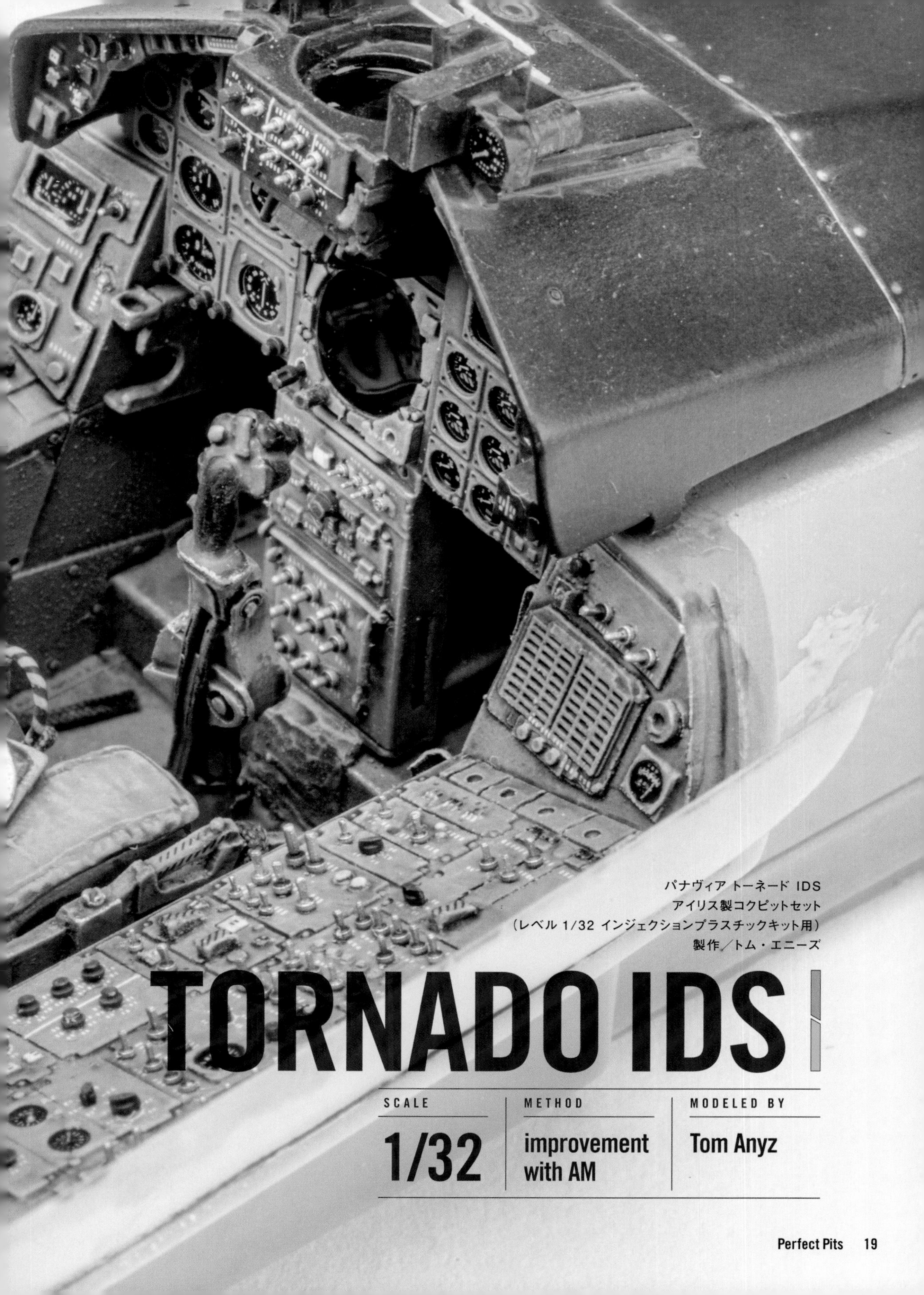

パナヴィア トーネード IDS
アイリス製コクピットセット
（レベル 1/32 インジェクションプラスチックキット用）
製作／トム・エニーズ

TORNADO IDS

SCALE	METHOD	MODELED BY
1/32	improvement with AM	Tom Anyz

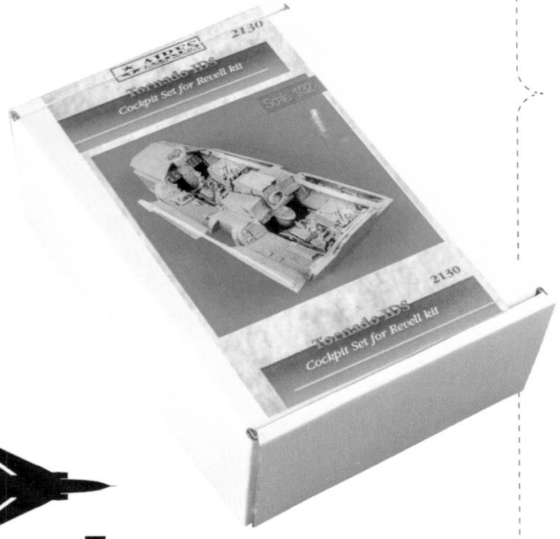

TORNADO IDS

レジン製コクピットを製作する

アフターマーケットで流通するレジンキャスト製コクピットは模型の完成度を一段引き上げる理想的な方法です。私見ですが、このようなアップグレード・キットには、機体の中に隠してしまうにはあまりに惜しい物もあり、単体のモデルとしても充分に楽しめます。Revell のキット用にデザインされた、アイリスのトーネード IDS 用レジンキャスト製コクピット・セットもそのひとつです。

本章では、ディティール・アップの上を行くアップグレードを試みて、さらに完成度を上げてみます。

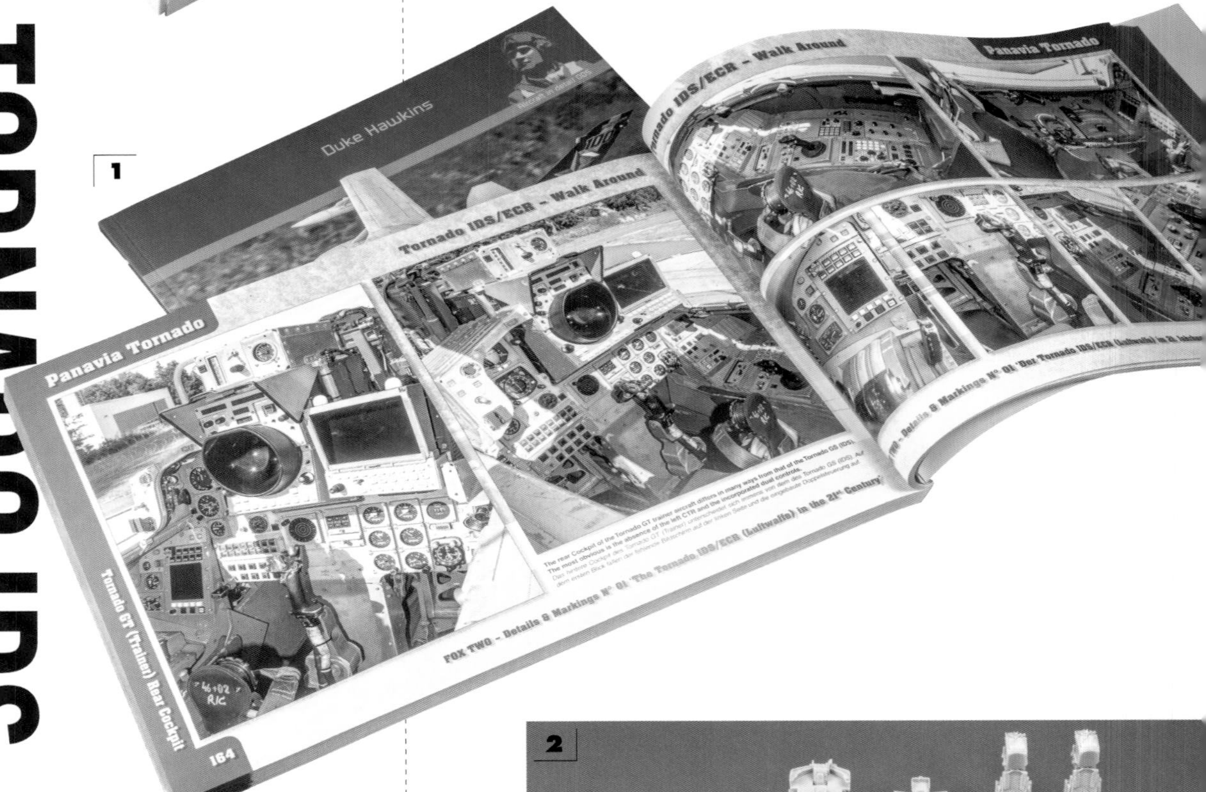

1. 実機の詳細な画像資料の研究は、適切な出発点です。カラースキームの決定や、摩耗した部分の特定に役立ちますし、スクラッチビルドのディティールによって、模型表現を強化するインスピレーションを与えてくれるのです。

2. セットの中身は、レジンキャスト製パーツが数点と、エッチングシート 1 枚、超高解像度の計器類の樹脂シートです。レジンキャスト製パーツの成形には、シリコーン製の型を使用しています。このタイプの複製は、高レベルのディティールを実現できる強みがあります。

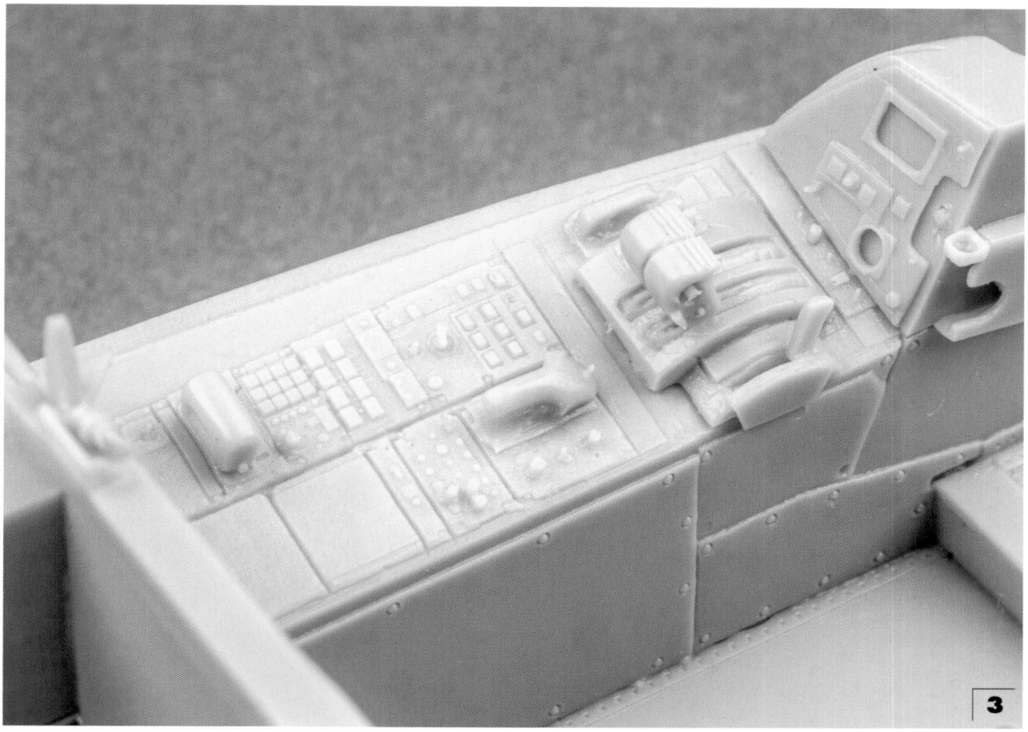

3

3. ただし、型の耐久性の低さがコストに直結します。後から複製された部品ほど劣化が目立つのですが、特にノブやトグルスイッチのような細部に悪い影響が出てきます。

4. 写真のような微細なディティールの塗装は、経験豊富なモデラーでも困難です。たいていはノブの一部だけが塗装されて、それ以外のスペースは無視されます。しかし実機のコクピットには「カオス状態」とも形容される無数のスイッチやマーキングがあります。このカオスの再現が本章の狙いです。

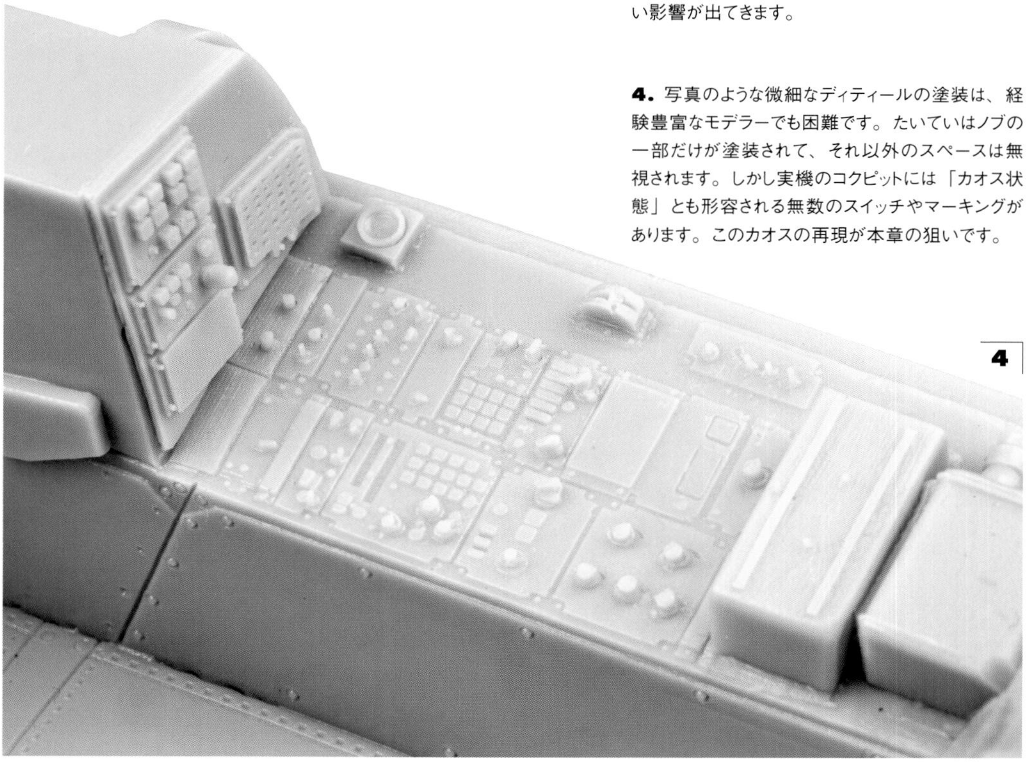

4

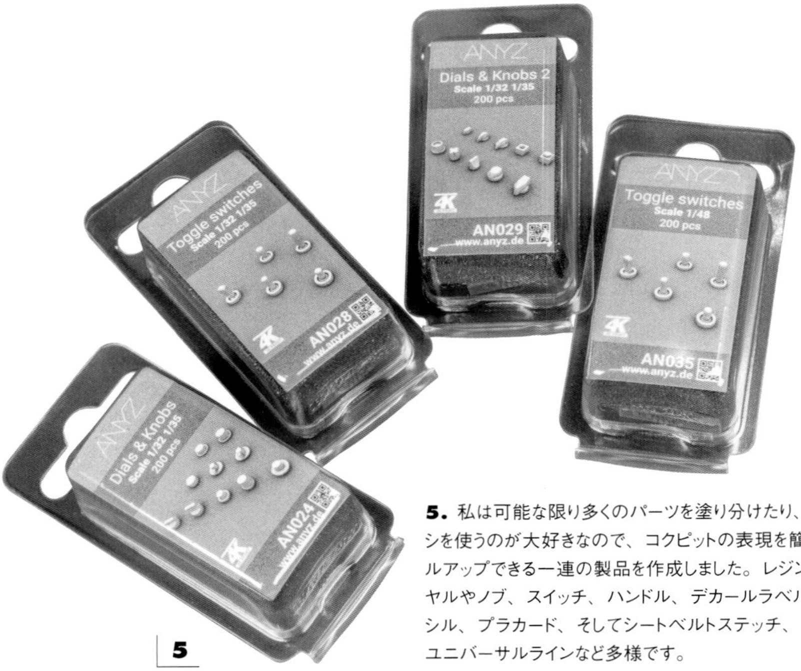

5

5. 私は可能な限り多くのパーツを塗り分けたり、エアブラシを使うのが大好きなので、コクピットの表現を簡単にレベルアップできる一連の製品を作成しました。レジン製のダイヤルやノブ、スイッチ、ハンドル、デカールラベル、ステンシル、プラカード、そしてシートベルトステッチ、ダイヤル、ユニバーサルラインなど多様です。

6

6. 私の作業は、まず既存のノブやスイッチの切除から始まります。こういった場合、新しいナイフの刃を使っています。

7. キーボード状の部分や、四角いボタンは交換の必要が無いので、パネルに直接塗装をしてから、デカールを貼ることにします。

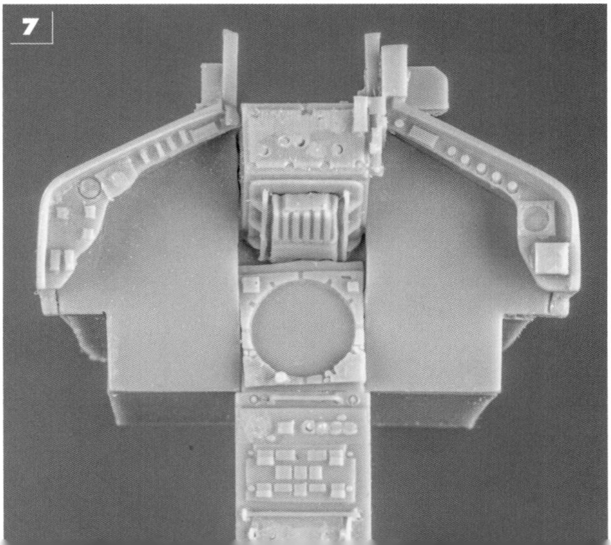

7

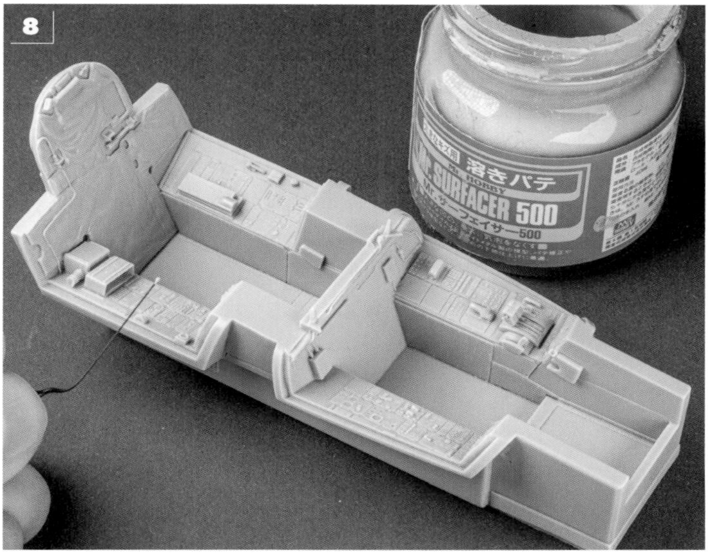

8. 表面に傷を付けてしまうようなミスをしても大丈夫。GSI クレオスのMr.Surfacer 500 を使えば簡単に修復できます。正確な塗装に適しているし、コストもかかりません。

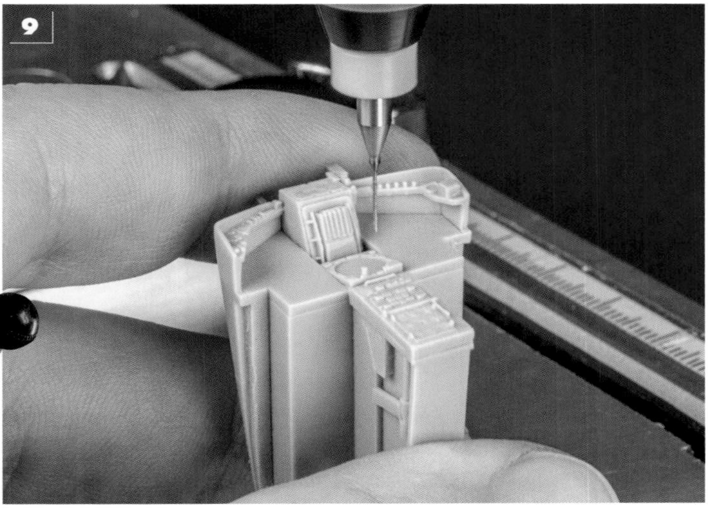

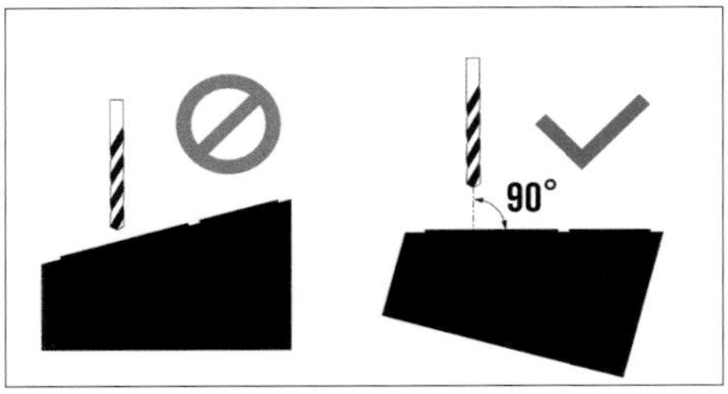

9. コンソールの処理が終わったら、レジンキャスト製の代替パーツを取り付けるために、0.4㎜径の穴をあけます。このような作業用のドリルは非常に脆くて、傾きがあると直ぐに折れてしまいます。そこで大げさではあるけれど、小型のバイスとドリルスタンドを使うようにしています。このデバイスの導入で作業効率が改善しました。

10. 機械が届かない場所だけは、手作業で慎重に穴をあけています。

11. エッチングパーツはディティールこそ文句なしですが、平面的なパーツです。奥行きを演出するために、私はノブやスイッチ類をレジンキャスト製のパーツに置き換えています。シートに厚みを出すため、タミヤテープで木片を貼り付けて穴あけをすると良いでしょう。

12. パネルをさらに細かくするため、いくつかの平らなノブを。エバーグリーン製のスチロール製薄片と、AIRSCALE（https://www.airscale.co.uk/）の PE パーツに置き換えます。ドキュメントホルダーは鉛箔で、コクピットライトはアルビオンアロイズの真ちゅう管と0.5㎜のエバーグリーン製プラ棒で作成しました。

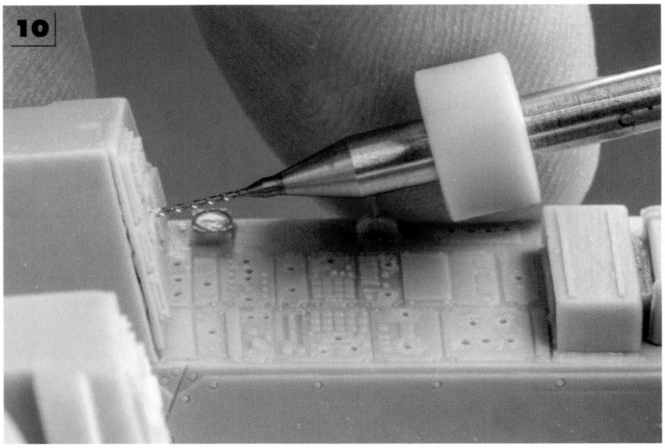

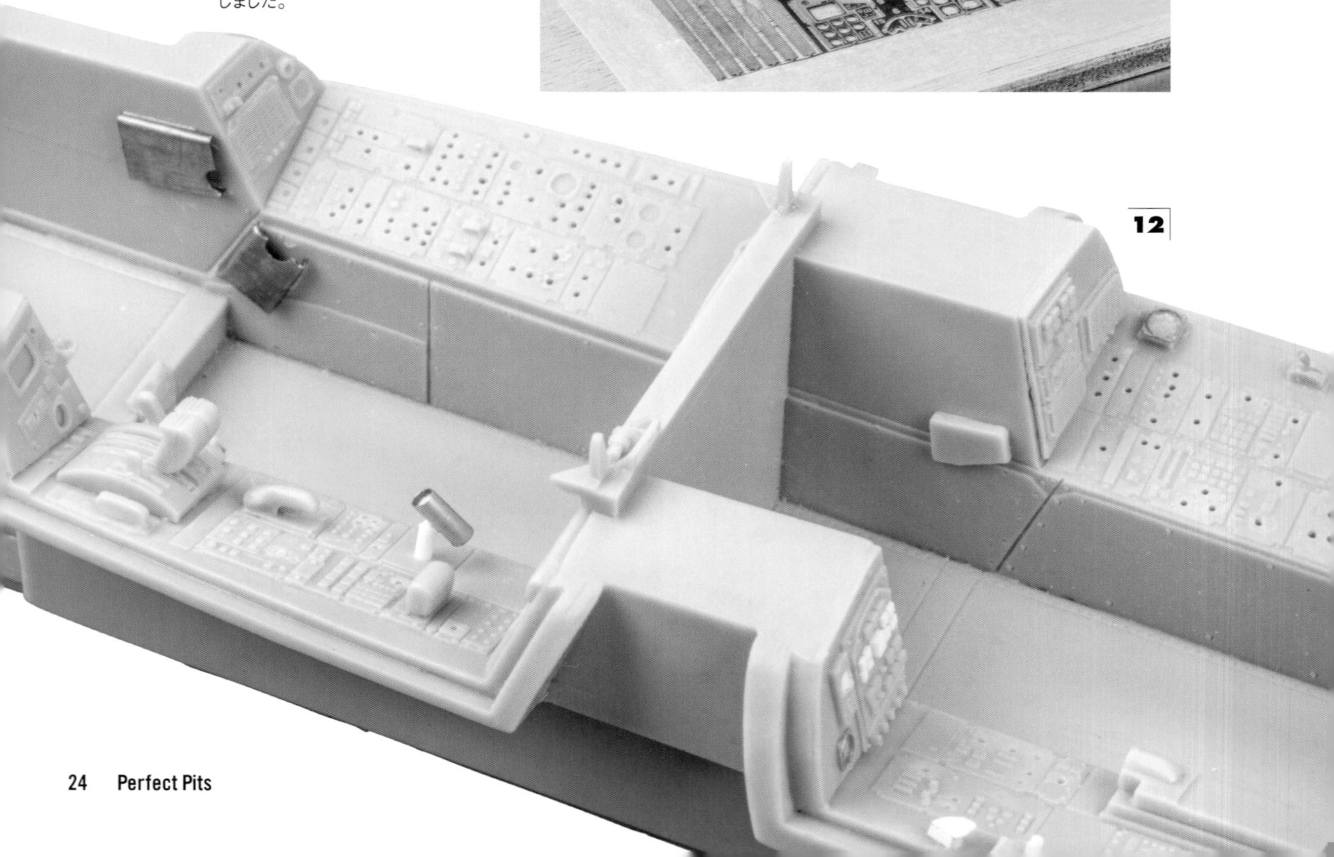

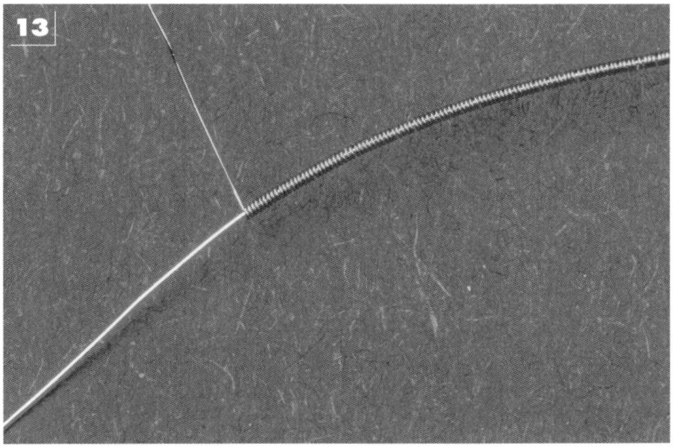

13. イジェクション・シート用の酸素供給ホースは、0.4mm径のプラ棒に 0.2mm径の銅線をより合わせて自作しました。

14. 模型の塗料はレジンキャスト部品に付着しにくいものです。しかし高品質のプライマーを塗布すれば、この問題を解決できるばかりか、部品の表面の不具合を発見しやすくなります。私は、Mr.Hobby Mr. プライマー・サーフェイサー 1000 と Mr. カラー・レベリングシンナー 400 を 50 ／ 50 の割合で混ぜたものをプライマーとして使用しています。このプライマーを 24 時間かけて硬化させてから、コクピットのパーツ全体に、ベースカラーとして MR Paint(https://www.mrpaint.sk/) のダーク・ガルグレーをエアブラシで吹き付けます。

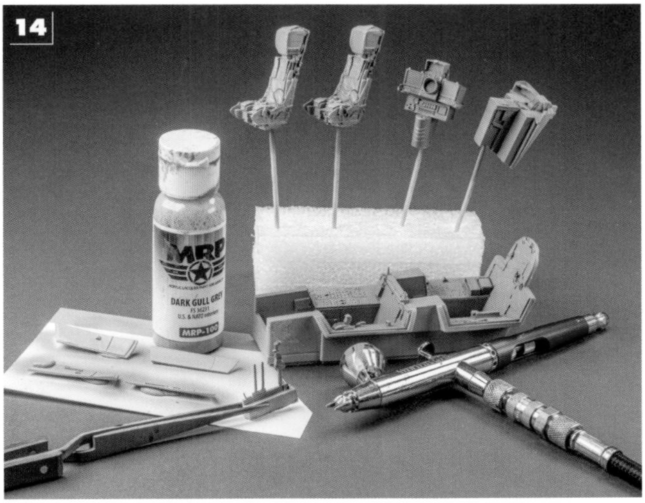

塗装 /Painting

15. 樹脂シートに印刷された文字盤は透明です。裏面にはエナメル系塗料を使って色にアクセントを加えています。

16. 樹脂シートを貼った後から計器の針や数字を見られるようにするには、樹脂シート裏にエアブラシで明るい色を塗装する必要があります。ただしホワイトではリアルさが失われるので、ブラックを一滴加えるか、MR Paint のインシグニア・ホワイトのような「濃厚なホワイト」を推奨します。

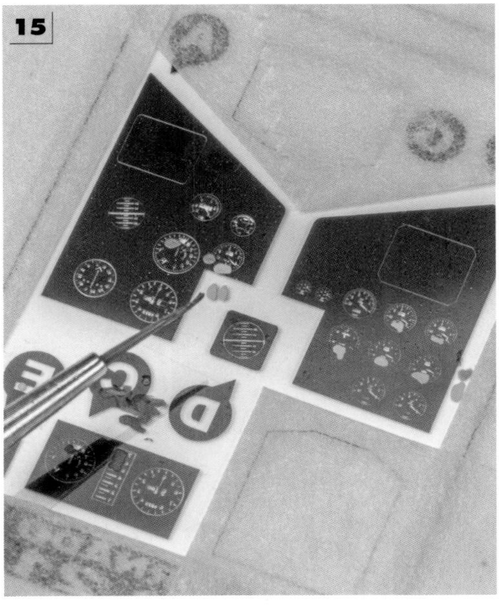

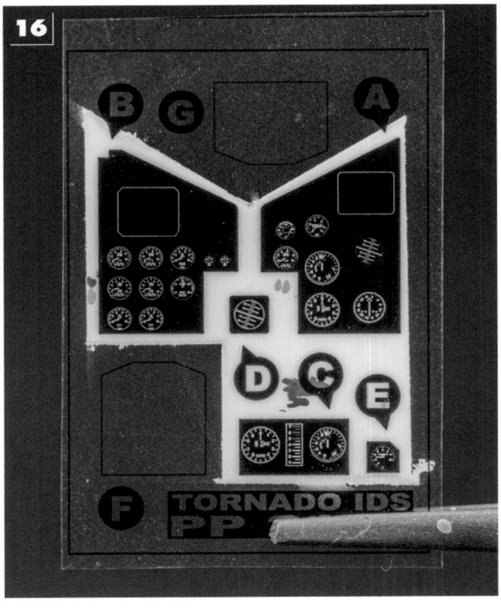

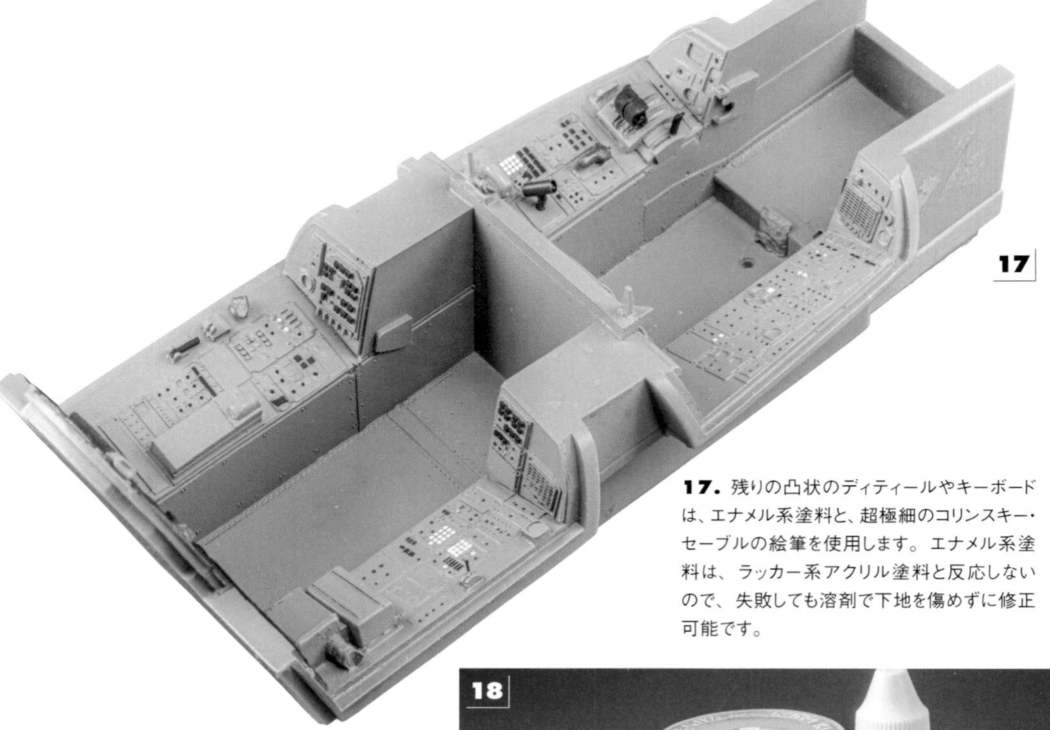

17

17. 残りの凸状のディティールやキーボードは、エナメル系塗料と、超極細のコリンスキー・セーブルの絵筆を使用します。エナメル系塗料は、ラッカー系アクリル塗料と反応しないので、失敗しても溶剤で下地を傷めずに修正可能です。

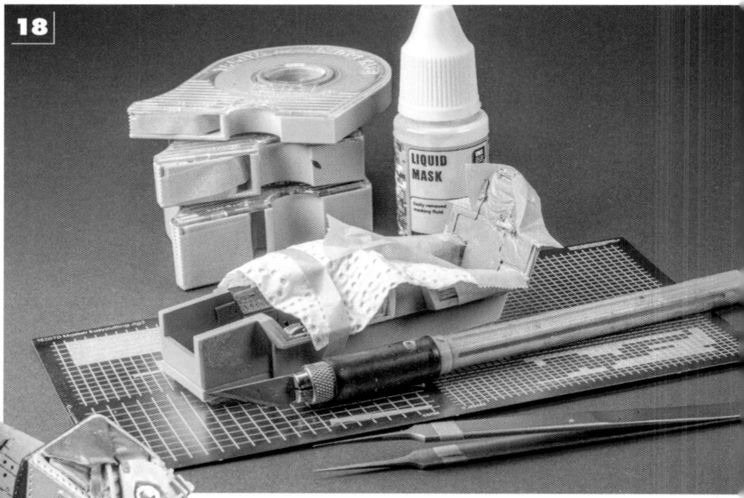

18

18. 滑らかな仕上がりにエアブラシは不可欠です。すでに塗装を終えた部分の保護にはマスキングが必要です。タミヤのマスキングテープと、VMS(https://www.vms-supplies.com/) のリキッドマスク（臭いが少なくて、貼り剥がしが簡単）を、私はこの作業で多用します。

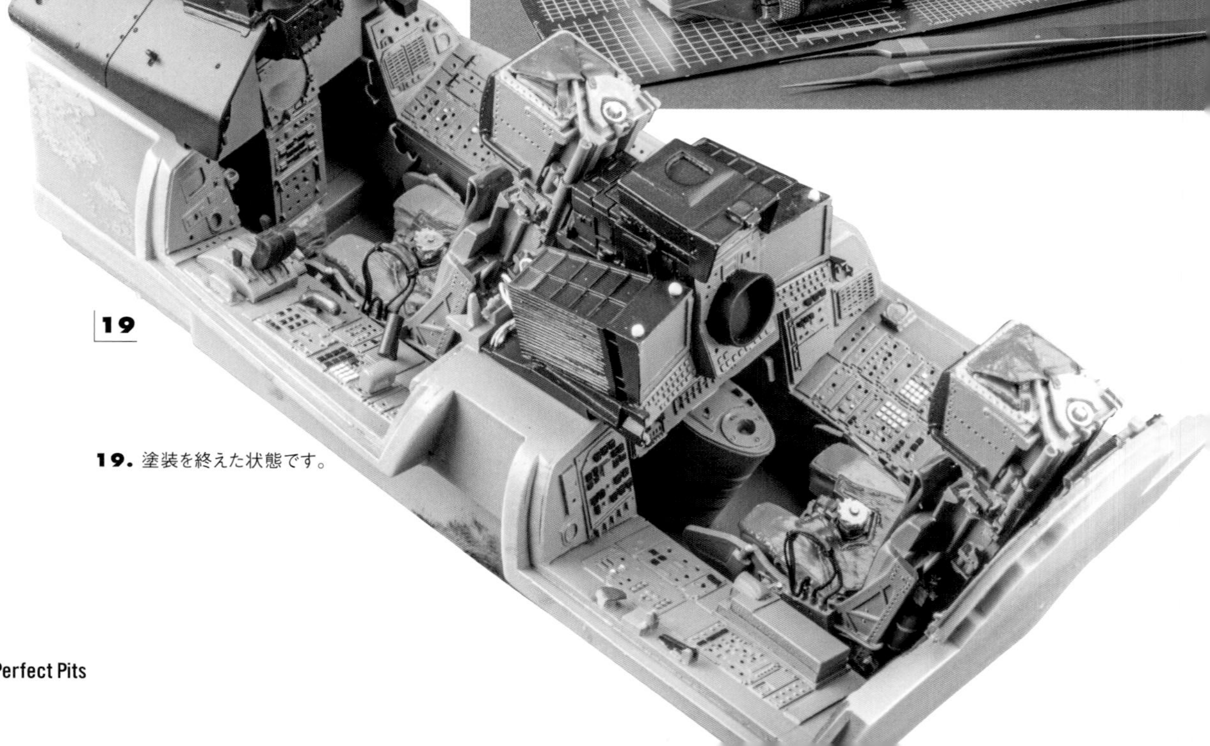

19

19. 塗装を終えた状態です。

20

20. 模型は必ずしも「一本道」の作業ばかりではなく、時に回り道が必要になります。
今回の作業では、モニターの裏側の配線がこれに該当します。塗装した後で仕上がりに失望したのです。アイリスのキットは、この部分ディティールが甘く、一部の配線が不十分でした。プラグを塗装しようとすれば、この部位の欠点はかなり目立ちます。ですので、私はこの部位の問題を解決しようと決めました。

21. まず既存の配線を除去して、新しいコネクター用の穴をあけました。ANYZ(https://anyz.io/shop) AN029 のセットには、小さなリング付きのつまみが入っているので、交換用に適しています。カラー塗装した後で接着しました。

22. 0.3㎜径のリード線で配線を再現しました。

21
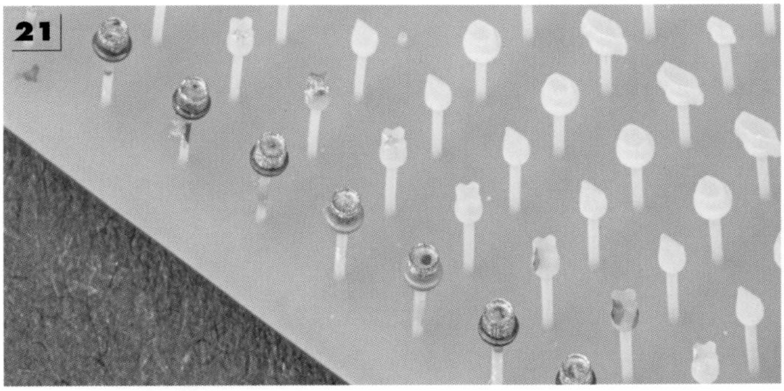

22

23
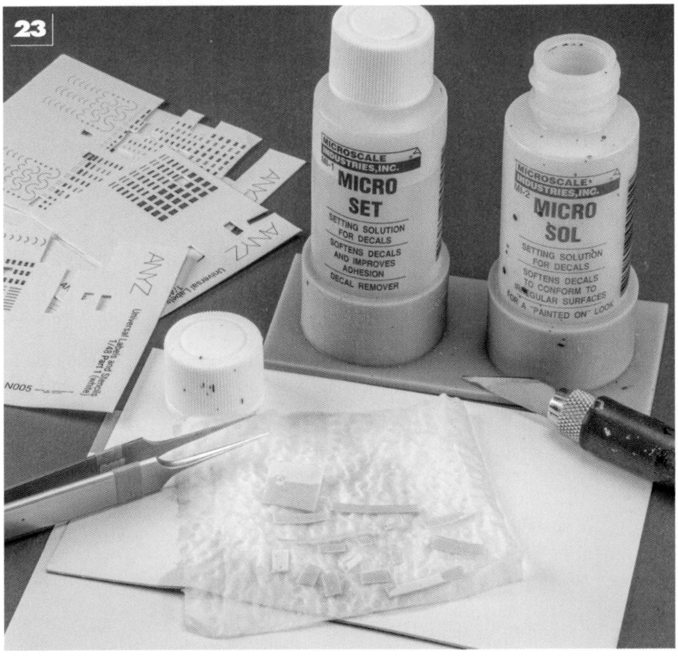

23. MRPのグレーを使った半光沢仕上げなら、デカールを貼る前にツヤありクリアーを追加する必要がありません。
私はANYZのUniversal Labels and Stencilsを使用しています。これは航空機模型に使用するような簡易記号やスケール、ラベルが豊富に揃っています。薄くて丈夫で、余剰部分のフィルムも少ないので、簡単に貼ることができます。
私はデカールを小さく切り離し、濡らしたペーパータオルの上に置いています。

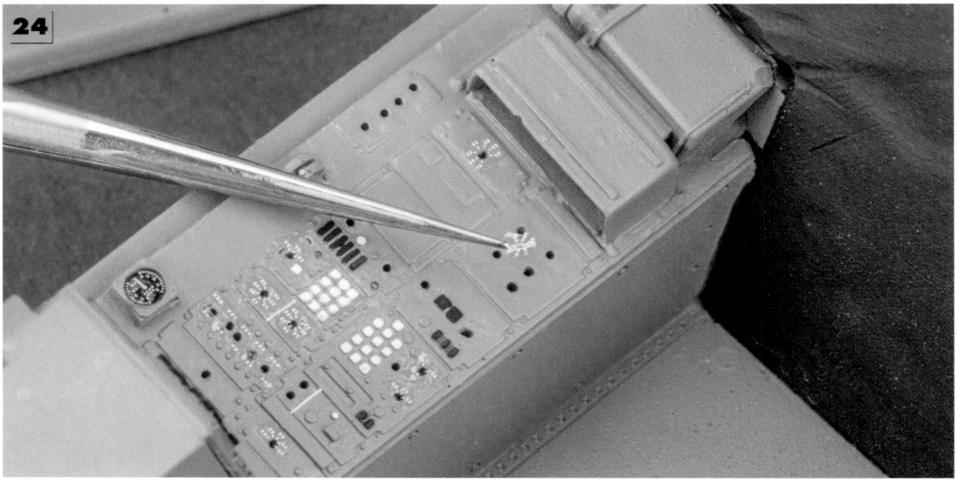

24. デカールがペーパーシートから剥離できるようになったら、極細ピンセットを使って貼っていきます。マイクロ・セットとマイクロ・ゾルを一滴垂らすと、薄い膜が柔らかくなって、接着力が強くなります。穴をあけた上にデカールを貼ると、冒頭で表現した「混沌」が演出できるようになります。

25. ここでは 0.3㎜径の黒いワイヤーに ANYZ 製 AN044 イエロー・ユニバーサルラインを巻き付けて、イジェクション・ハンドルを作っています。

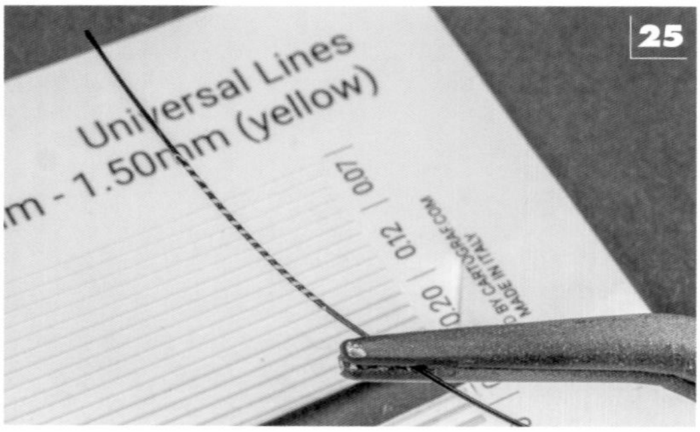

26. 次のステップですが、デカールを貼って約 24 時間後、まずデカールを保護するため、希釈したタミヤ X-22 クリアーでコクピット全体を覆います。私の場合、エアブラシの潤滑を兼ねて、Mr. カラー・レベリングシンナー 400 を 50 ／ 50 で混ぜて使っています。

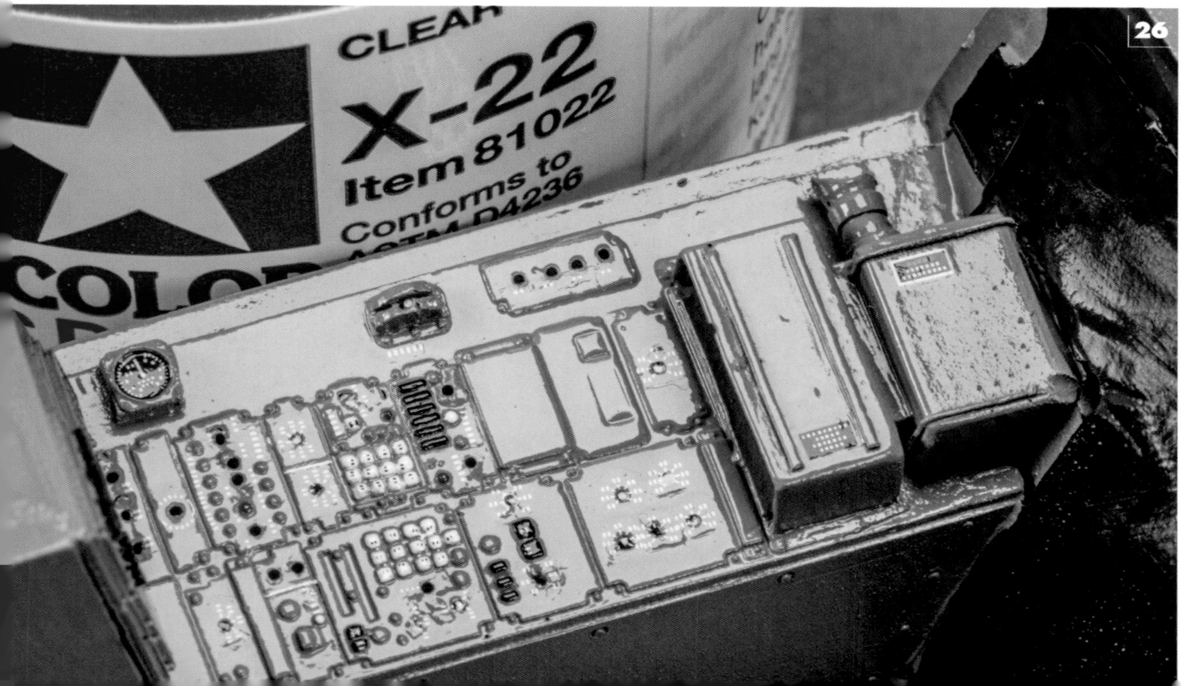

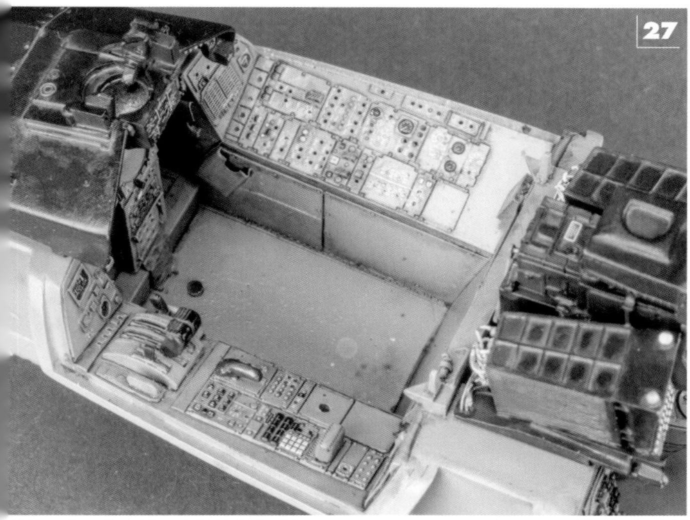

27

27. エナメル系塗料とは違い、マジック・ウォッシュ技法（注1）は半透明でソフト、色褪せたようなエッジの演出に向いています。しかしいったん硬化してしまうと、綿棒などで簡単に余計な部分を取り除くようなことができません。水などで絵具を溶かしてからでないと修正できないのです。
ここではウォッシュが硬化してから、最後にコクピット全体につや消しのクリアーを塗りました。

28. ドライブラシは、とくに細かなディティールを鮮明に出すのに最適の方法です。ただし模型を傷つけやすいので、ここでは「少ない方が豊かである」という原則を大事にしてください。
ラッカー系アクリル塗料は乾きが早いので、油絵具で少し薄めの色を基本色として混ぜておくと良いでしょう。筆が含んだ余分な絵具を除去する際は、必ず布製のもので拭き取ってください（ペーパータオルを使うと、筆先が毛羽立ち、模型が台無しになる危険があります）。繰り返しですが、「少ない方が豊か」です。含みすぎた筆で一度の塗装を狙うより、ほとんど絵の具を含んでいない筆で10回塗る方が良いのです。

（注1）…マジックウォッシュ
Formula 409という洗剤を水と1.1で混合した液にインクやリキテックスで着色したものでフィルタリングする技法。通常のフィルタリングと異なり、乾燥後も修正が可能という強みがある。

28

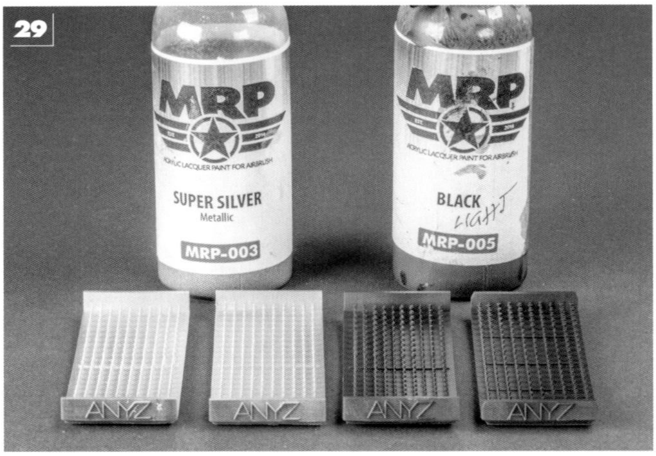

29. ANYZのラインナップは幅広く、様々な形状のノブ、スイッチ、ハンドルなどが用意されています。1/32と1/48のスケールがあり、塗装済みで使用する前提です。基本的にサーフェイサーを塗った後、シルバーとブラックライト（ブラックにホワイトを数滴加えたもの）をエアブラシで塗装し、マジック・ウォッシュ技法を重ね、グレー・オイルを数回ドライブラシして丁寧に仕上げるのです。

30. レジンキャスト製のノブは、極細のピンセットでつまみ、デカールに直接穴をあけ、（瞬間接着剤を垂らして）接着するのがベストでしょう。

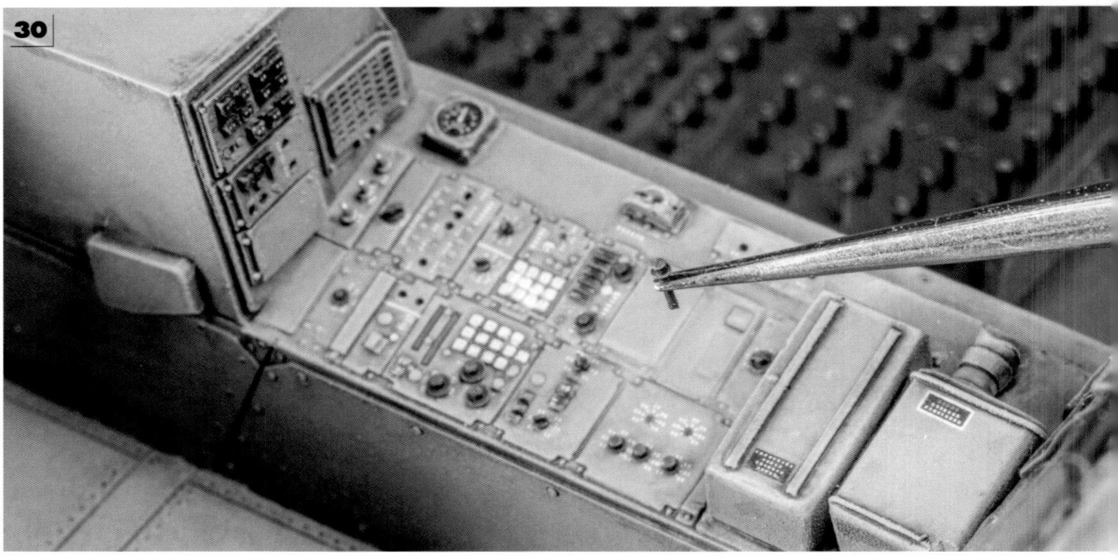

31. エッチングパーツのノブも組み立ての前に接着します。裏面に瞬間接着剤を少量使うとしっかり固定できます。

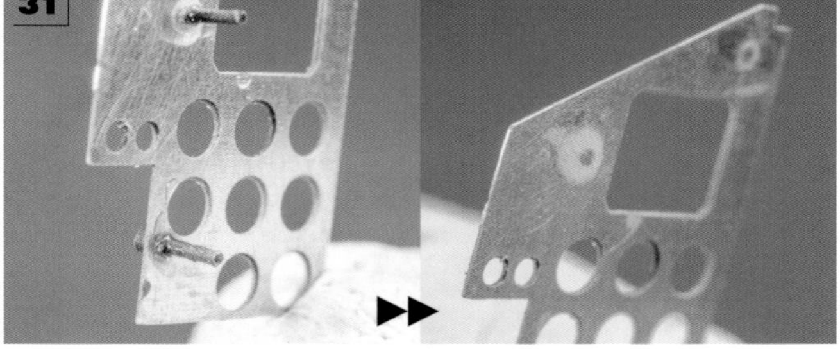

32. 印刷された計器板などをエッチングパーツに貼り付ける際は、（スプレー用追加ノズルの）精密アプリケーターと、PVA接着剤（注2日本ではアラビックヤマト液状のりなど）を使用します。PVAは適切な位置に貼り付けるまでの時間の余裕があり、失敗しても簡単に剥がせるので便利です。

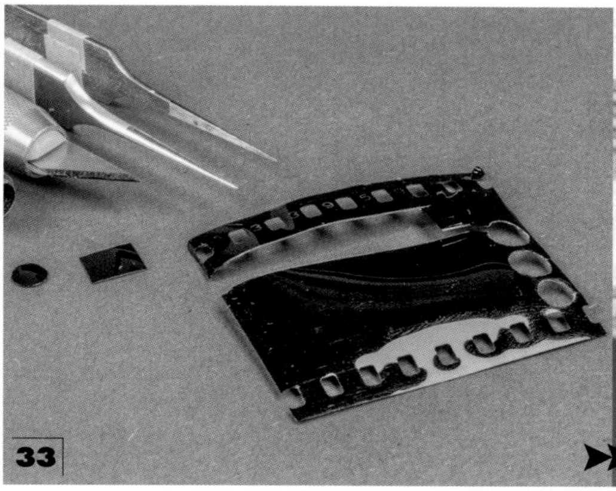

33

33. 私は光沢が強いディスプレイの再現に、古い35mmのフィルムを好んで使用します。とても薄くて切るのが簡単で、本物らしさも充分なのです。

34. 水彩用のメタリック鉛筆と普通の鉛筆を使用すると、説得力のある金属痕を生み出せます。また必要なら消したり修正するのも簡単です。このテクニックはマットな表面に対してもっとも効果的です。

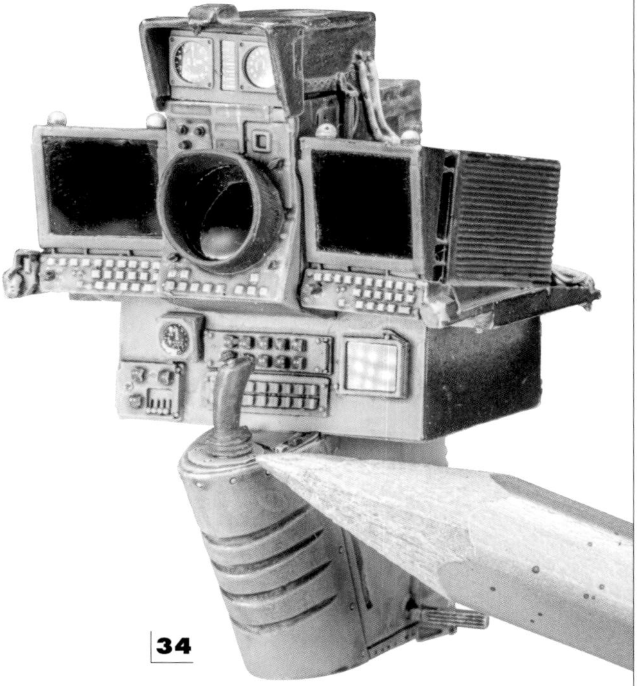

34

35. コクピットの主要部がすべて集まったので、イジェクション・シートの仕上げにかかります。ハーネスとイジェクション・ハンドルは、私がスクラッチ・ビルドする時は必ずと言っていいほど交換する部分です。
シートベルトの素材は0.1mm厚の鉛箔が最適でしょう。柔らかくてカットしやすく、成形も簡単で、PE ベルトクリップとの組み合わせでは、柔軟な布のような、素晴らしい表情を演出できるのです。
私は定着材の信奉者なので、装着前にプライマーとベース色をエアブラシで塗装します。

36. この方法の欠点としては、強く曲げた部分の塗装がはげやすいことですが、細い筆で簡単に修正できます。

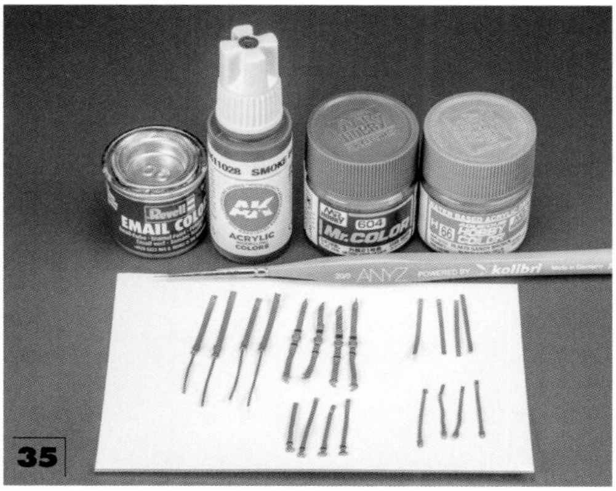

35

36

TORNADO IDS

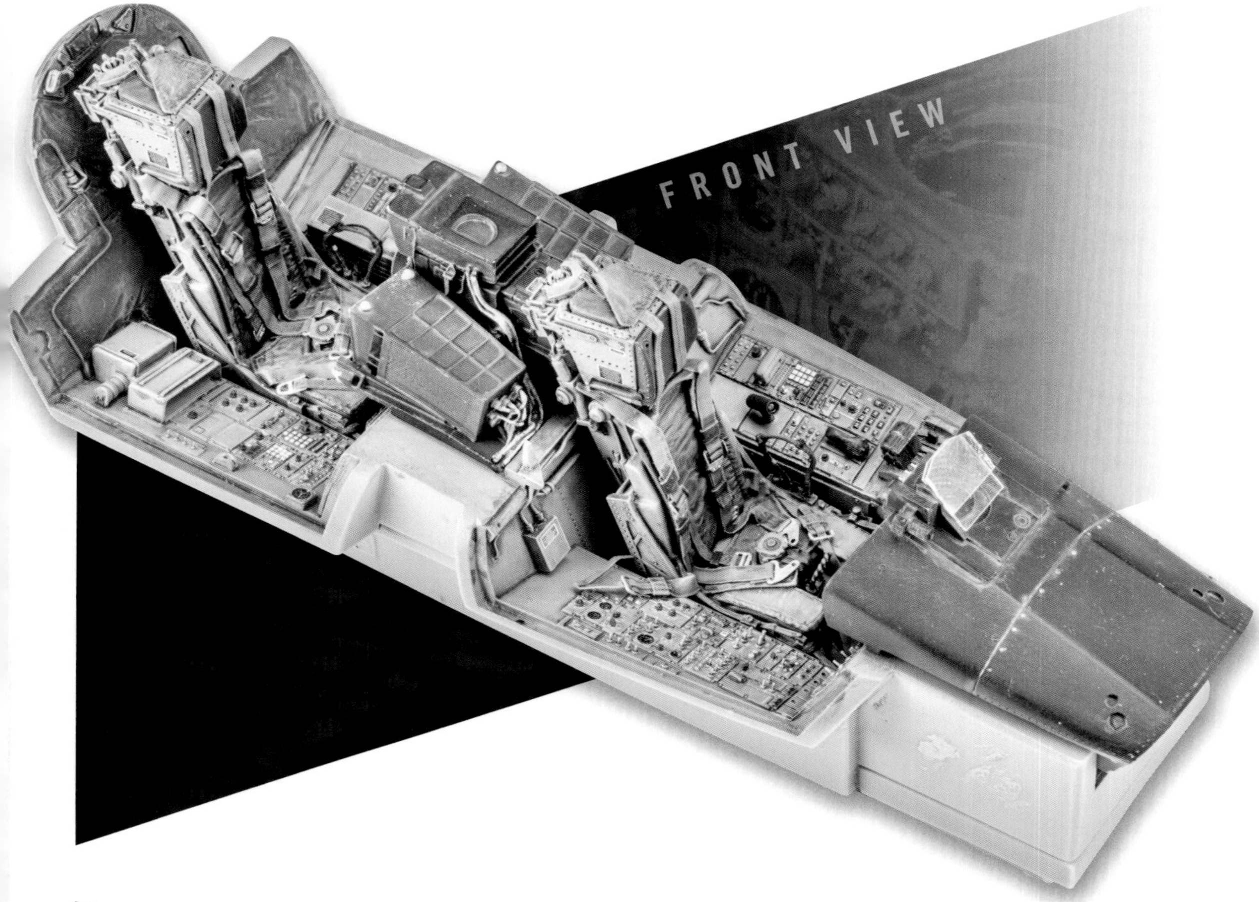
FRONT VIEW

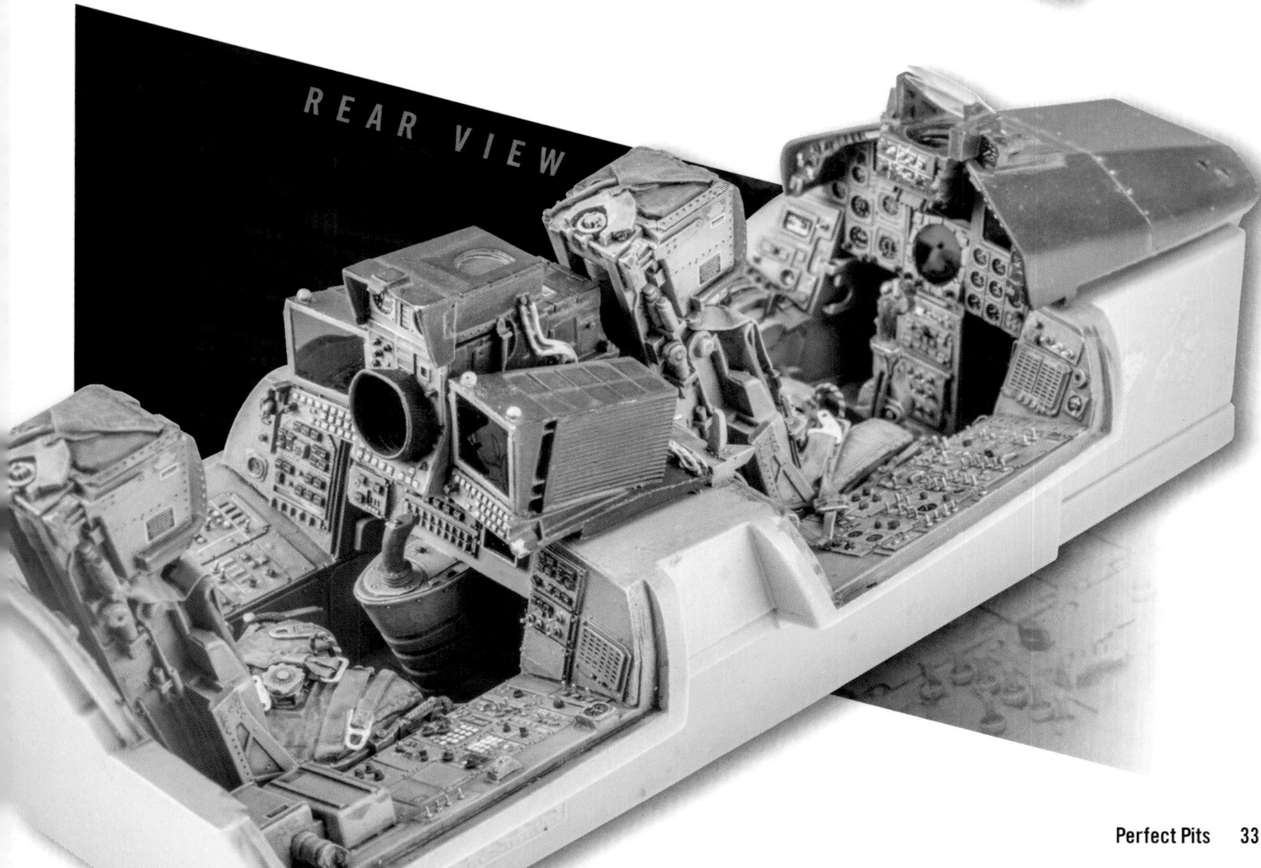
REAR VIEW

F-14A トムキャット
アイリス製コクピットセット
（タミヤ 1/32 インジェクションプラスチックキット用）
製作／トム・エニーズ

F-14A TOMCAT

SCALE	METHOD	MODELED BY
1/32	improvement with AM	Tom Anyz

F-14A TOMCAT

イントロダクション / introduction

アフターマーケットで流通するレジンキャスト製コクピットは模型の完成度を一段引き上げる理想的な方法です。私見ですが、このようなアップグレード・キットには、機体の中に隠してしまうにはあまりに惜しい物もあり、単体のモデルとしても充分に楽しめます。タミヤのキット用にデザインされた、アイリスの 1/32 F-14A レジンキャスト製コクピットのセットもその一つです。

このチュートリアルでは、ディティール・アップの上を行くアップグレードを試みて、さらに完成度を高めてみます。

はじめに / getting started

実機の詳細な画像資料の研究は、適切な出発点です。カラースキームの決定や、摩耗した部分の特定に役立ちますし、スクラッチ・ビルドのディティールによって、模型表現を強化するためのインスピレーションを与えてくれるのです。

セットの中身は、レジンキャスト製パーツが数点と、エッチングパーツシート 1 枚、超高解像度の計器類の樹脂シートです。

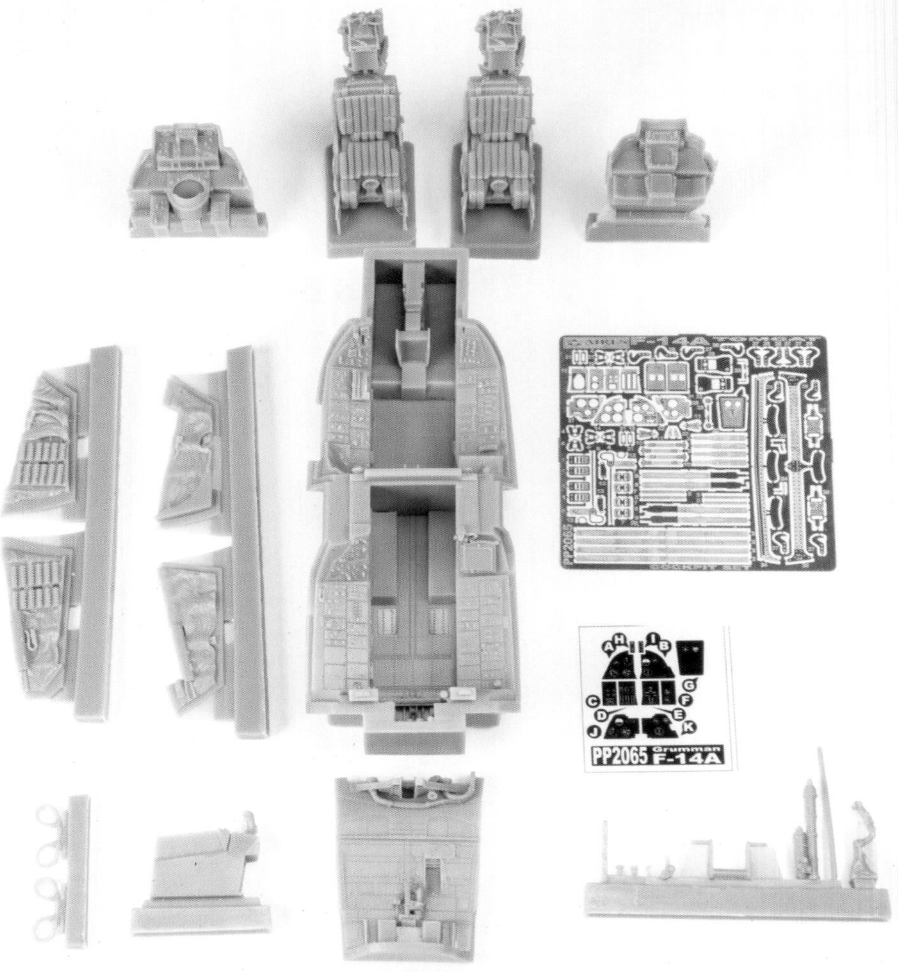

レジンキャスト製パーツの成形には、シリコーン製の型を使用しています。このタイプの複製は、高レベルのディティールを再現できます。ただし、型の耐久性の低さがコストに直結します。また型の劣化で、後のコピー品はディティールが劣化しますが、特にノブやトグルのような細部に悪い影響が出てきます。写真のような微細なディティールの塗装は、経験豊富なモデラーでも困難です。たいていはノブの一部だけが塗装されて、それ以外のスペースは無視されます。しかし実機のコクピットには「カオス状態」と形容される無数のスイッチやマーキングがあります。このカオス状態の再現が本章の狙いです。

私は可能な限り多くのパーツを塗り分けたり、エアブラシを使うのが大好きなので、コクピットの表現を簡単にレベルアップできる一連のプロダクトを作成しました。レジンキャスト製のダイヤルやノブ、スイッチ、ハンドル、デカールラベル、ステンシル、プラカード、そしてシートベルトステッチ、ダイヤル、ユニバーサルラインなど多様です。

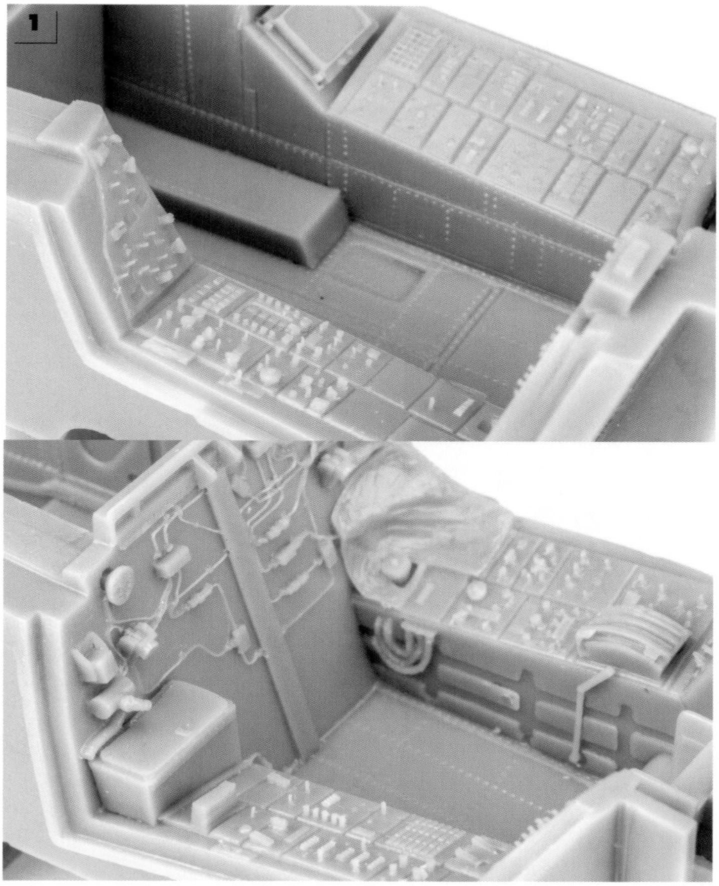

1. レジンキャスト製パーツの鋳造には、シリコーン製の型を使用しています。このタイプの複製は、高レベルのディティールを実現できる強みがあります。

2. 私はまず既存のノブやスイッチを、鋭利なホビーナイフを使用して切除します。

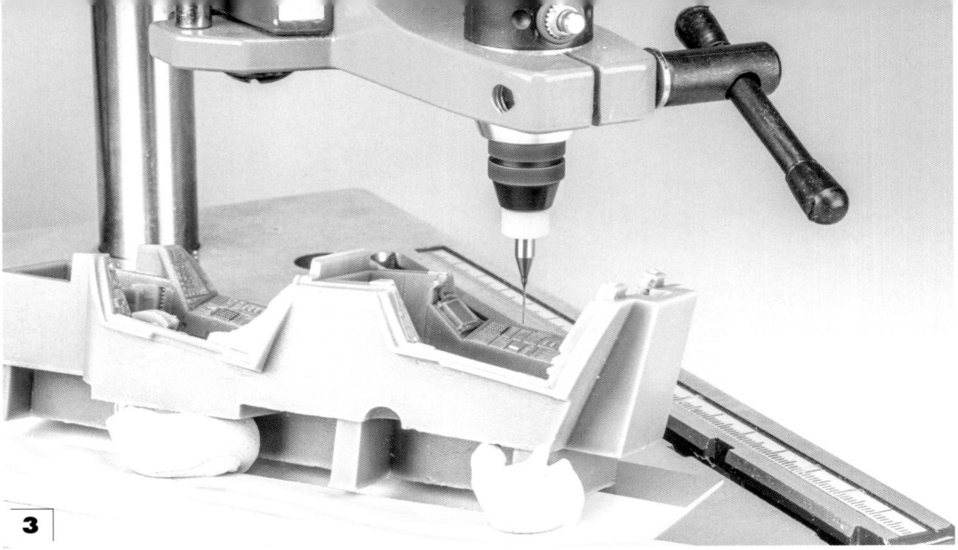

3

3. コンソールの処理が終わったら、レジンキャスト製の代替パーツを取り付けるために、0.4㎜径の穴をあけます。このような作業用のドリルは非常に脆くて、傾きがあると直ぐに折れてしまいます。そこで大げさではあるけれど、小型のバイスとドリルスタンドを使うようにしています。このデバイスの導入で作業効率が改善しました。
私は木片をブル・タックで固定して、表面の適切な角度を維持するようにしています。

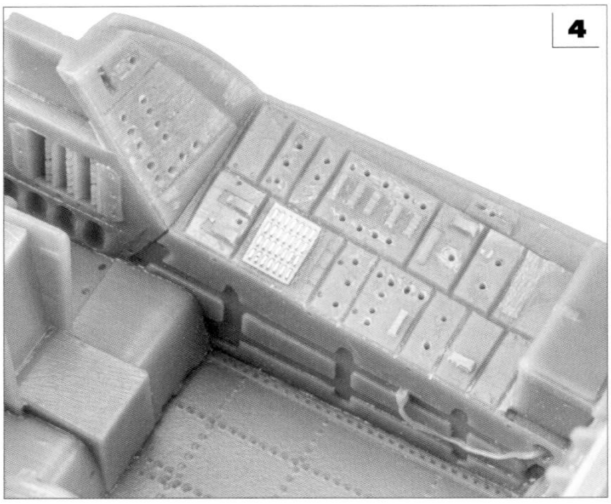

4

4. パネルをさらに細かくするため、いくつかの平らなノブをエバーグリーン製のプラスチック製薄片と、AIRSCALE のエッチングパーツに置き換えます。

5. 酸素供給ホースは、0.4㎜径の銅の棒に 0.4㎜径の動線を巻き付けたものです。ホースには ANYZ AN016 セットのレジン性小型コネクターを接着しました。コードは ANYZ AN011 の 0.5㎜ブレードラインに交換して完成です。

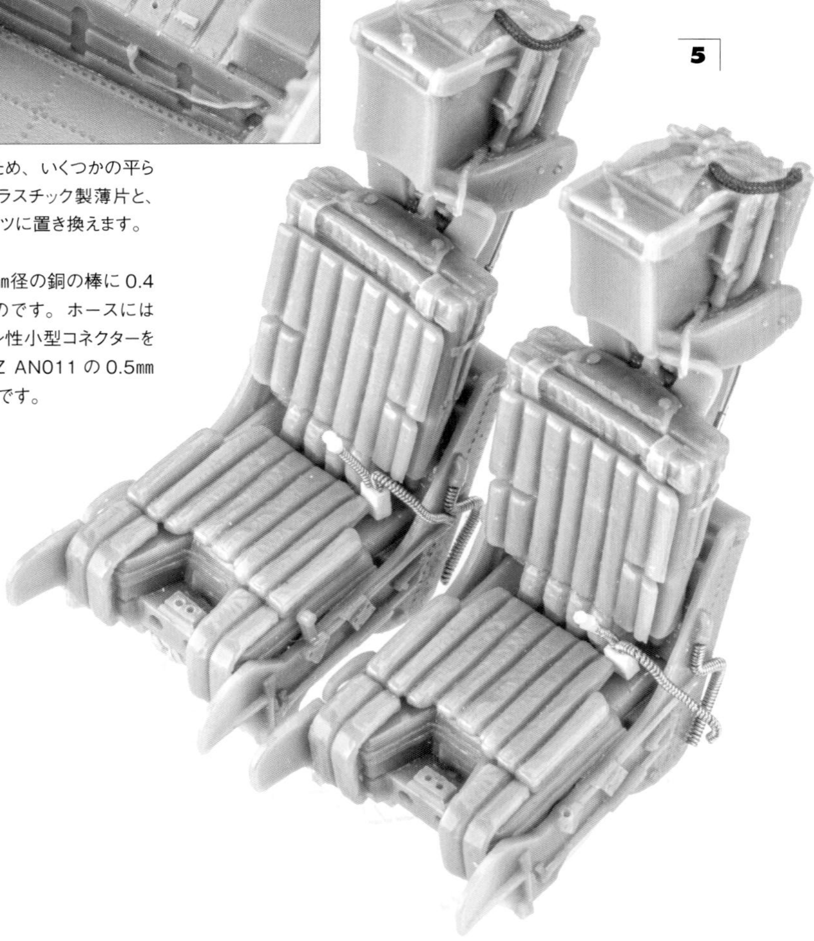

5

6. モデリング・ペイントはレジンキャスト部品に付着しにくいものです。しかし高品質のプライマーを塗布すれば、この問題を解決できるばかりか、部品の表面の不具合を発見しやすくなります。私は、GSI クレオス Mr. プライマーサーフェイサー 1000 と Mr. カラー薄め液 400 を 50 ／ 50 の割合で混ぜたものをこの作業で使用しています。乾燥が速く、平滑で耐久性に優れた皮膜を作れるのです。

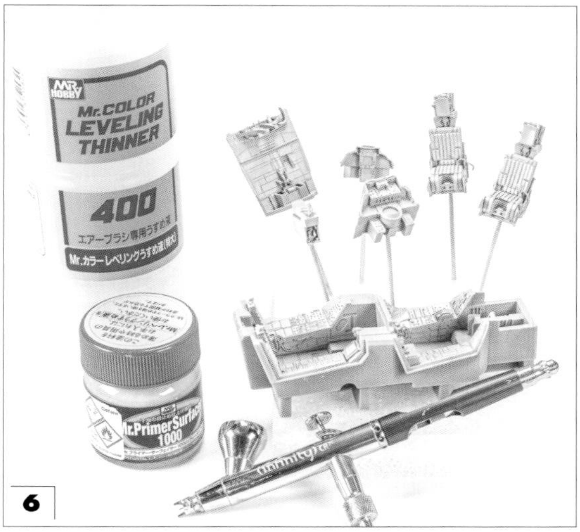

6

7. コクピットの足下は、使用痕がもっとも強く残る場所です。数年も経過すると、オリジナルの塗装は摩耗して、金属がむき出しになる例があります。このような摩耗した外観の表現は、アルミニウム色の塗料を使い、下地をエアブラシで塗ることです。塗料が乾燥したら、チッピング エフェクト（アモのチッピングエフェクトなど）を薄く塗りつけます。私は市販のヘアスプレーを好んで使います。安価なのに完璧に機能しますし、エアブラシのような掃除の手間も省けます。

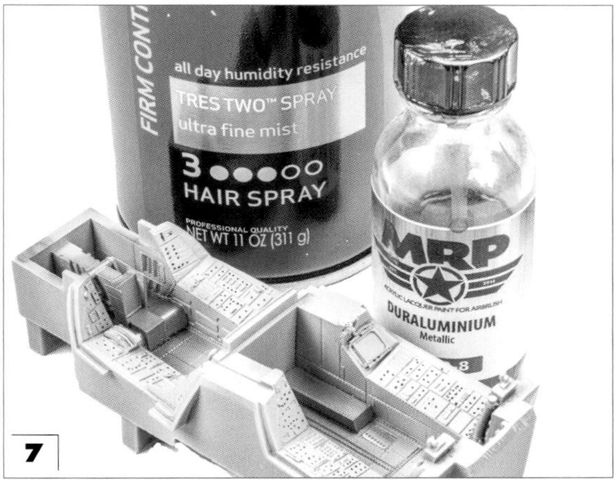

7

8. チッピング・セパレーターを塗布したコクピットに、MRP-100 ダーク・ガルグレー、US & NATO インテリア（FS 36231）をエアブラシで吹き付けます。
足回りの塗装は、水を含ませた堅めのブラシで丁寧に落とします。このテクニックが上手くいけばリアルな仕上がりになりますので、初心者は模型に塗る前に、予備のパーツなどで練習しておくべきでしょう。

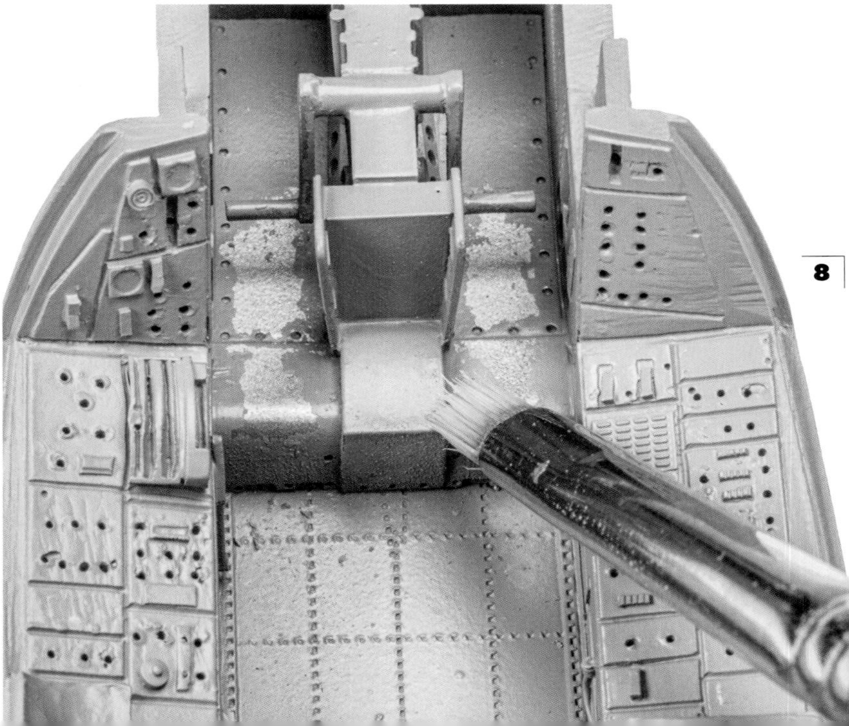
8

9

9. エッチングパーツ上の凸状のディティールの塗装には、ファーバーカステルのアーティスト・ペンを愛用しています。XS ペンの先端は約 0.1㎜で、ディティールの塗装に適しています。
パネルと残りわずかのノブは、第 3 世代の AK ラッカー系アクリルカラーを使い、超極細のコリンスキー・セーブルの筆で手描きします。

10. イジェクション・シート、パイロットと RIO（レーダー迎撃士官）のメインコントロール・パネルは、MRP のブラックにホワイトを数的垂らして、かなり濃いグレーになるようにしてエアブラシで仕上げています。この方がスケール感が出るでしょう。

11. ベースカラー（AK グレーブラウン）をエアブラシで塗装したあと、シェードとハイライトを加えます。シェードは濃厚なブラウン系を真水で薄めて、筆塗りします。水で薄めた塗料はベースカラーを溶かさないので、狙った半透明感が演出できます。ハイライトは明るい色調で、ドライブラシを使い塗装します。

12. イジェクション・シートのファブリックの有機的な外観は、ウェット・パレットを使っています。このテクニックは人物画では定番ですが、模型に「3D のような」美しい外観を与えます。コントロールパネルと同様、希釈した塗料を薄く重ね塗りして、シェードやハイライトを表現するのです。

10

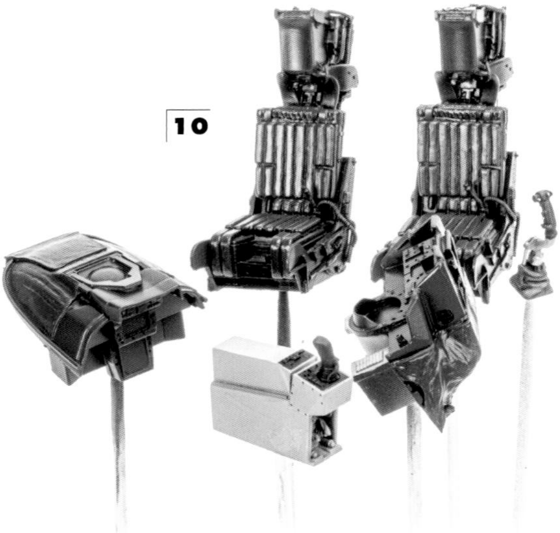

11

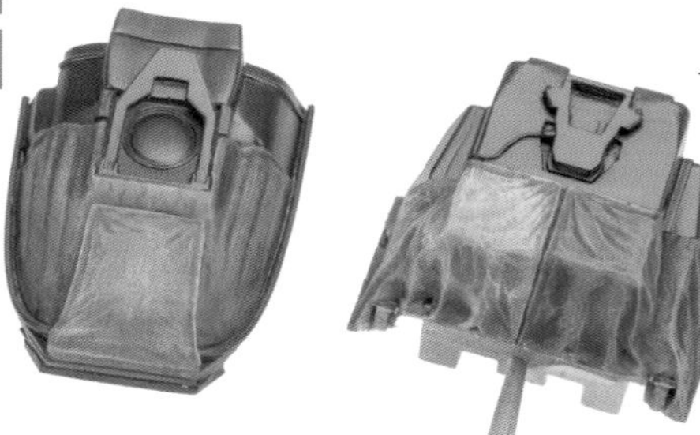

12

13

13. 次のステップで、コクピットを光沢クリアーで覆います。タミヤ X-22 と、Mr. カラーのレベリング・うすめ液の混合液が私の好みのグロスです。既存の塗装を保護して、デカールも貼りやすくなるのです。
24 時間後、コクピットが完成しました。ANYZ Universal Labels and Stencils には、航空機模型に使用するような簡易記号やスケール、ラベルが豊富に揃っています。非情に薄くて丈夫で、余剰部分のニスも最小限しかありません。ドリルであけた穴を中心にして貼られたデカールは、前述の「カオス」のような錯覚を引き起こすのです。

14. 硬化したクリアコートの上に、濃い色のウォッシュを薄く塗布します。コクピットのような小さな範囲には、私は自作のアクリルウォッシュ（いわゆる「マジック・ウォッシュ」）を好んで使います。私の配合は、AK アクリルシンナーと AK ウルトラマット・クリアーを 50:50 で混合して、ファレホのエアブラシ・フローインプルーバー、および AK アクリル塗料をそれぞれ数滴ずつ加えるというものです。エナメル系塗料とは違い、マジック・ウォッシュは半透明でソフト、色褪せたようなエッジの演出に向いています。しかしいったん硬化してしまうと、綿棒などで簡単に余計な部分を取り除くようなことができません。水などで絵具を溶かしてからでないと修正できないのです。

14

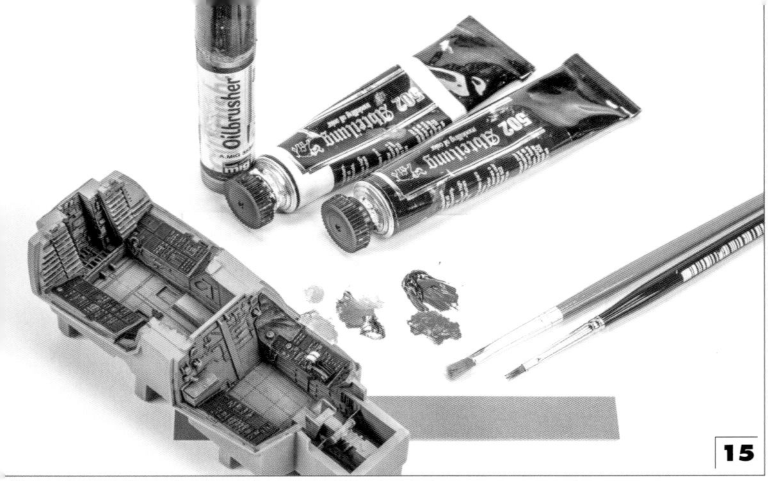

15

15. ドライブラシは、特に細かなディティールを鮮明に出す最適の方法です。ただし模型を傷つけやすいので、ここでは「少ない方が豊かである」という原則を大事にしてください。アクリル系塗料は乾きが早いので、油絵具で少し薄めの色を基本色として混ぜておくと良いでしょう。筆が含んだ余分な絵具を除去する際は、必ず布製のもので拭き取ってください（ペーパータオルを使うと、筆先が毛羽立ち、模型が台無しになる危険があります）。「少ない方が豊か」なのです。含みすぎた筆で１度の塗装するより、わずかしか含んでいない筆で10回塗る方が良いのです。

16. ANYZのラインナップは幅広く、様々な形状のノブ、スイッチ、ハンドルなどを用意しています。1/32と1/48のスケールがあり、塗装済みで使用する前提です。基本的に、サーフェイサーを塗った後、シルバーとブラックライト（ブラックにホワイトを数滴加えたもの）をエアブラシで塗装し、マジック・ウォッシュを重ね、グレー・オイル（ドライブラシ）を数回塗って丁寧に仕上げるのです。

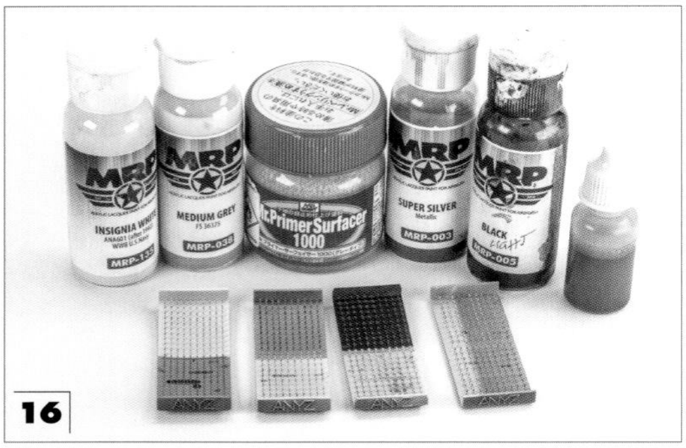

16

17. レジンキャスト製のノブは、極細のピンセットでつまみ、デカールに直接穴をあけて（瞬間接着剤を垂らして）接着するのがベストでしょう。

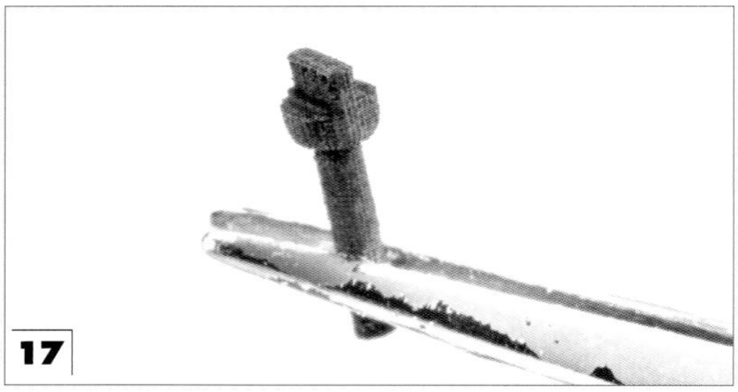

17

18. ノブを接着した状態で、更にウェザリングを加えます。水彩用のメタリック鉛筆と普通の鉛筆を使用すると、説得力のある金属痕を生み出せます。また必要なら消したり修正するのも簡単です。このテクニックはマットな表面でのみ効果的です。

18

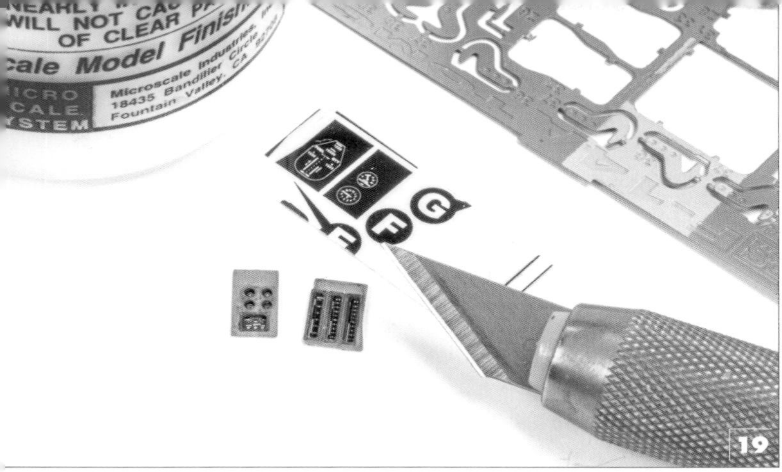

19. メインコンソール・パネルの計器板は、透明なフィルムに印刷されています。組み立てた後から計器の針や数字を見られるようにするには、裏面にエアブラシで明るい色を塗装する必要があります。ただしホワイトではリアルさが失われるので、極薄いグレーを推奨します。「マイクロ・クリスタル・クリアー」(または他のPVA接着剤)を使用すると、エッチングパーツに簡単にフィルムを接着できます。乾くまでに時間がかかるので、必要であれば途中で位置の修正も可能です。

20. コクピットの主要部がすべて集まったので、射出座席の仕上げにかかります。ハーネスとイジェクション・ハンドルは、私がスクラッチビルドする時は必ずと言っていいほど交換する部分です。シートベルトの素材は0.1㎜厚の鉛箔が最適でしょう。柔らかくてカットしやすく、成形も簡単で、エッチング製ベルトクリップとの組み合わせでは、柔軟な布のような、素晴らしい表情を演出できるのです。
私は定着材の信奉者なので、装着前にプライマーとベース色をエアブラシで塗装します。

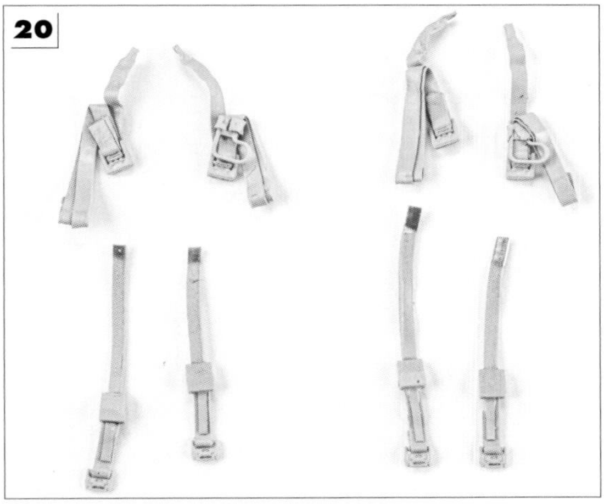

21. イジェクション・ハンドルには0.3㎜と0.5㎜の黒いワイヤーを使っています。螺旋状の外観再現は、黄色の「ANYZ ユニバーサルライン」デカールをワイヤーに巻き付ければ、簡単に演出できます。このデカールは非常に薄いので、極めてリアルな外観を作り出せるのです。

22. イジェクション・ハンドルのマウントはAlbion Alloys製のチューブで作られています。

23. そして、シートに貼る前に塗装しています。

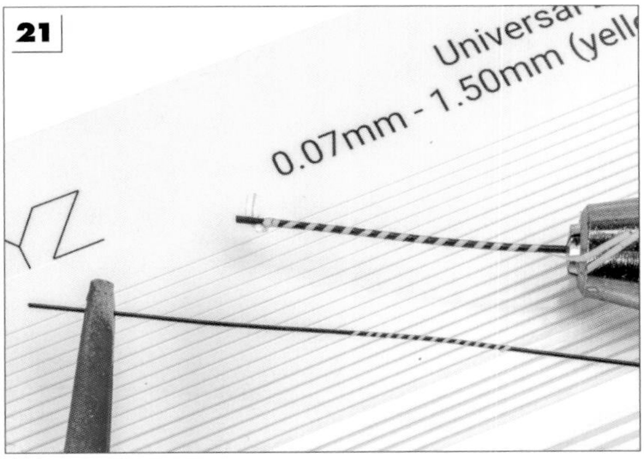

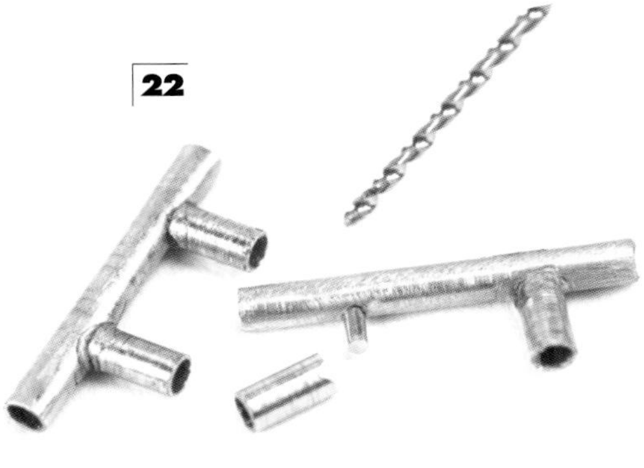

F-14A TOMCAT

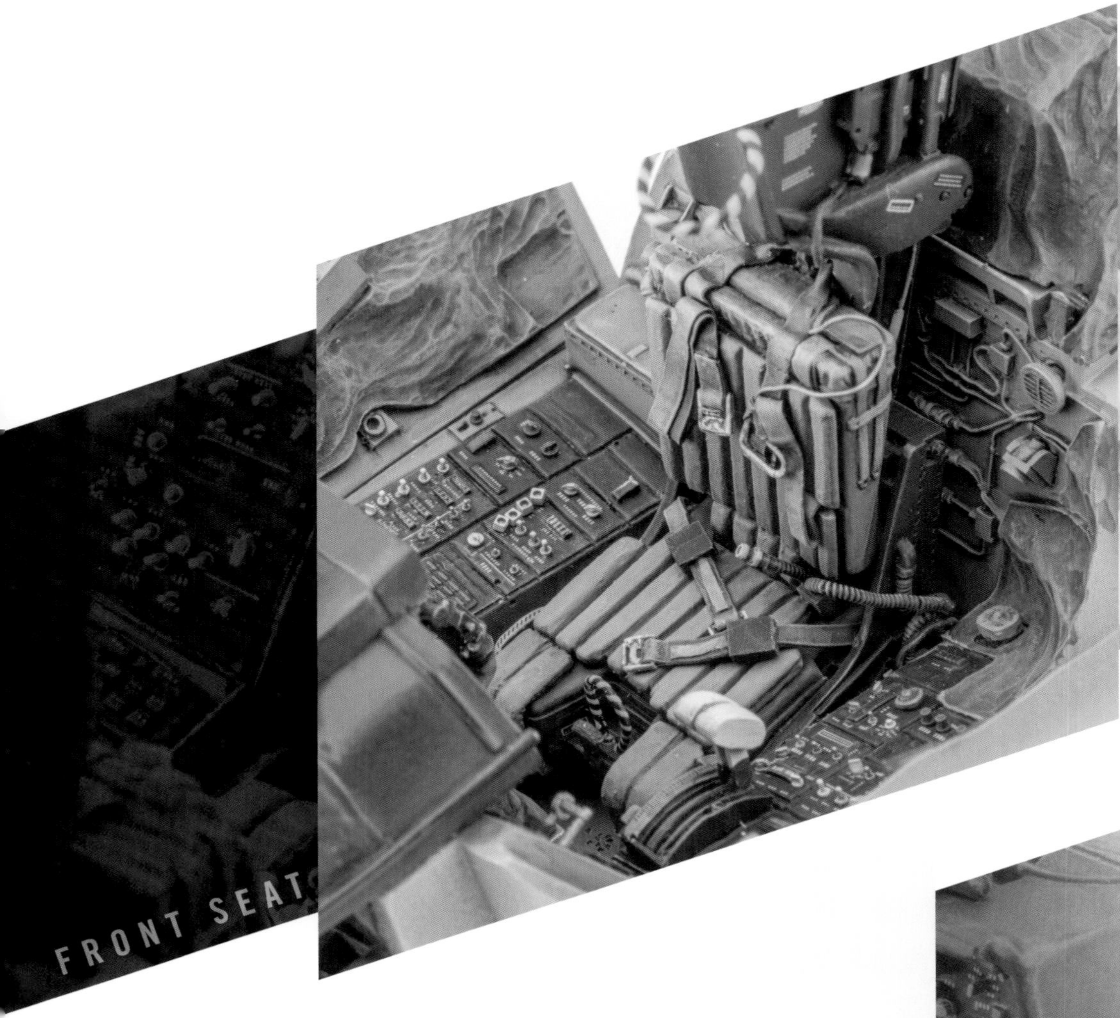
FRONT SEAT

REAR SEAT

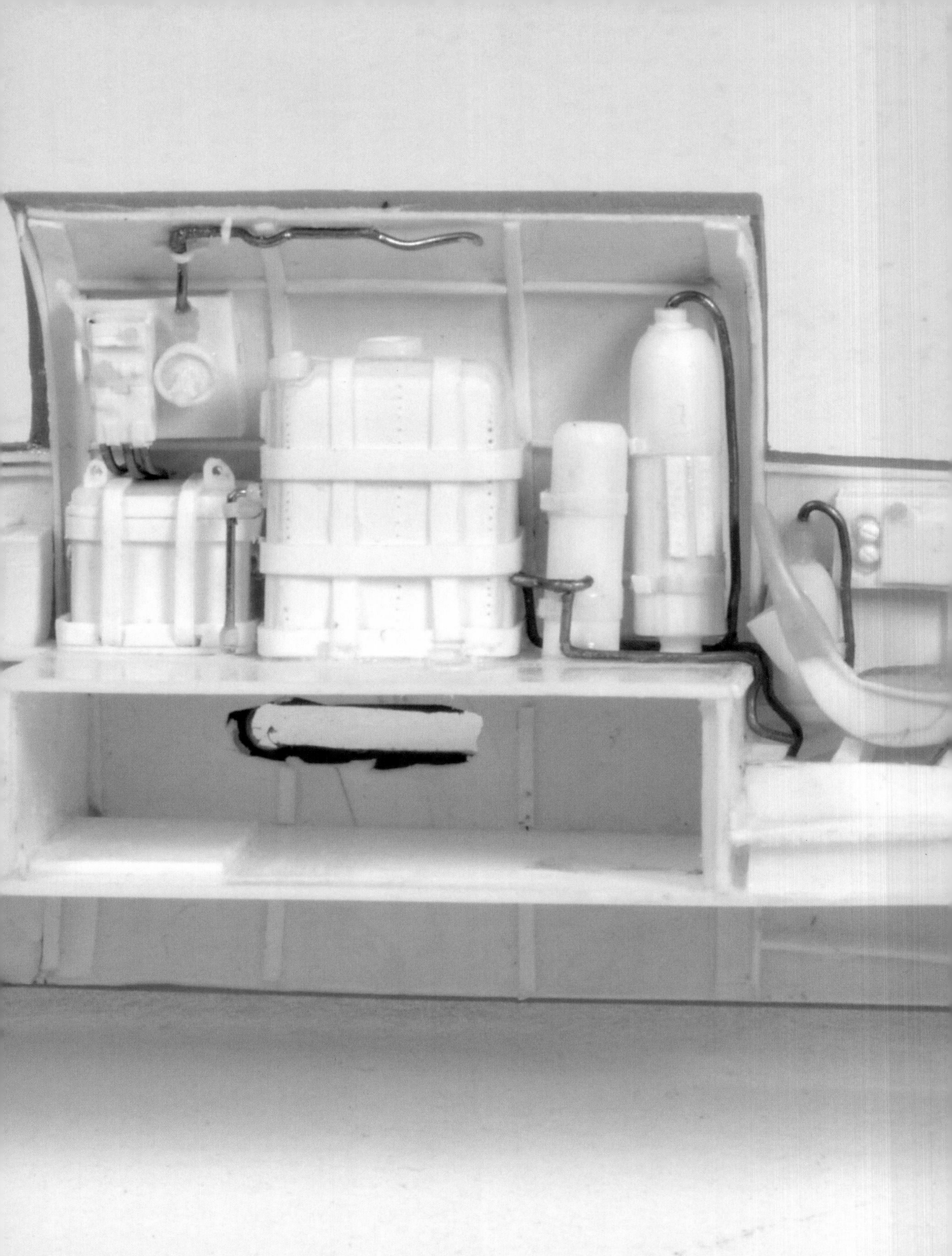

九九式双発軽爆撃機 キ48
スクラッチビルド
（エーゼットモデル 1/48 インジェクションプラスチックキット使用）
製作／クリス・メディングス

Ki-48 “Lily”

SCALE	METHOD	MODELED BY
1/48	improvement with scratch building	Chris Meddings

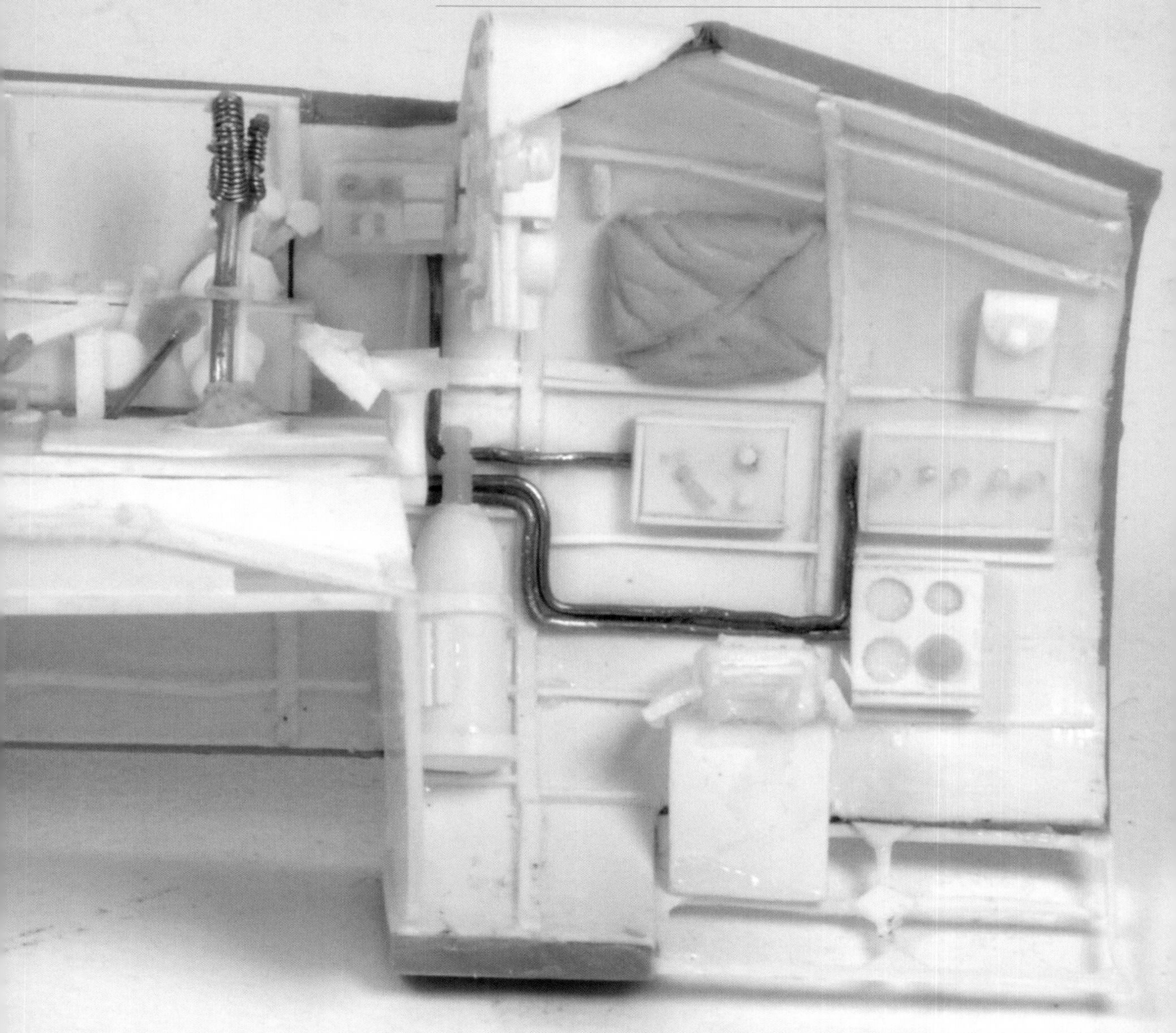

Ki-48 "Lilly"

スクラッチビルドによる改良

現代のツールやキットでは、コクピットのディティールを増すために、部材の一部を外したり、塗装を重ねたりと、様々な作業が可能となります。

しかし、その模型店でもっとも古いキットを作ってみたいと思う時もあるでしょう。そのキットのコクピットは、まったく基本的なディティールしか残っていないかも知れません。金型が座席や操縦桿、計器類を再現していなければ、結果は自ずと明らかです。この場合、（ラインナップが存在し、在庫切れになっていない）レジンキャスト製の AM コクピットを購入するか、プラスチック板かプラ棒を買う必要があります。私の工房のセッティングはプラスチック用です……。

このようなプロジェクトは、通常はテーマ選定から始まります。キットを見つけ、研究に没頭するところからです。今回は事前のリサーチが大変でした。この機体に特化したテキストは、『丸メカニック』の「帝国陸軍　九九式双発爆撃機　川崎キ 48」（1979 年）しか見つかりませんでした。絶版になって久しい本ですが、各種オークションや専門古書店で比較的簡単に入手できます。ページ数は少ないながら、優れた図面や写真が多数掲載されています。そのほか、内装については『月刊モデルアート』などの各種刊行物を使って、無線機など一部の情報を補完できました。

スクラッチビルドの精度は資料によって左右されるので、対象の詳細が分からないと着手できないのです。したがってテーマ選定の際に、資料の充実度を確認するのは重要な作業です。

1. コクピットをスクラッチビルドしたり、ディティールアップをするなら、普通、リブやストリンガーから始めます。たいていはキットの内側に直接工作をするのですが、私は主翼の付け根にある穴を使って、0.2㎜のプラ板で内張りすることにしました。胴体の壁材に工作の余裕を持たせるため、キットパーツをわずかに削り落としました。表面処理は、表面の歪みを消すだけではありません。プラスチック製のシートを使う工作の経験は豊富なので、その特性を理解して、どのような表面に仕上がるかというところまでは予測できました。

1

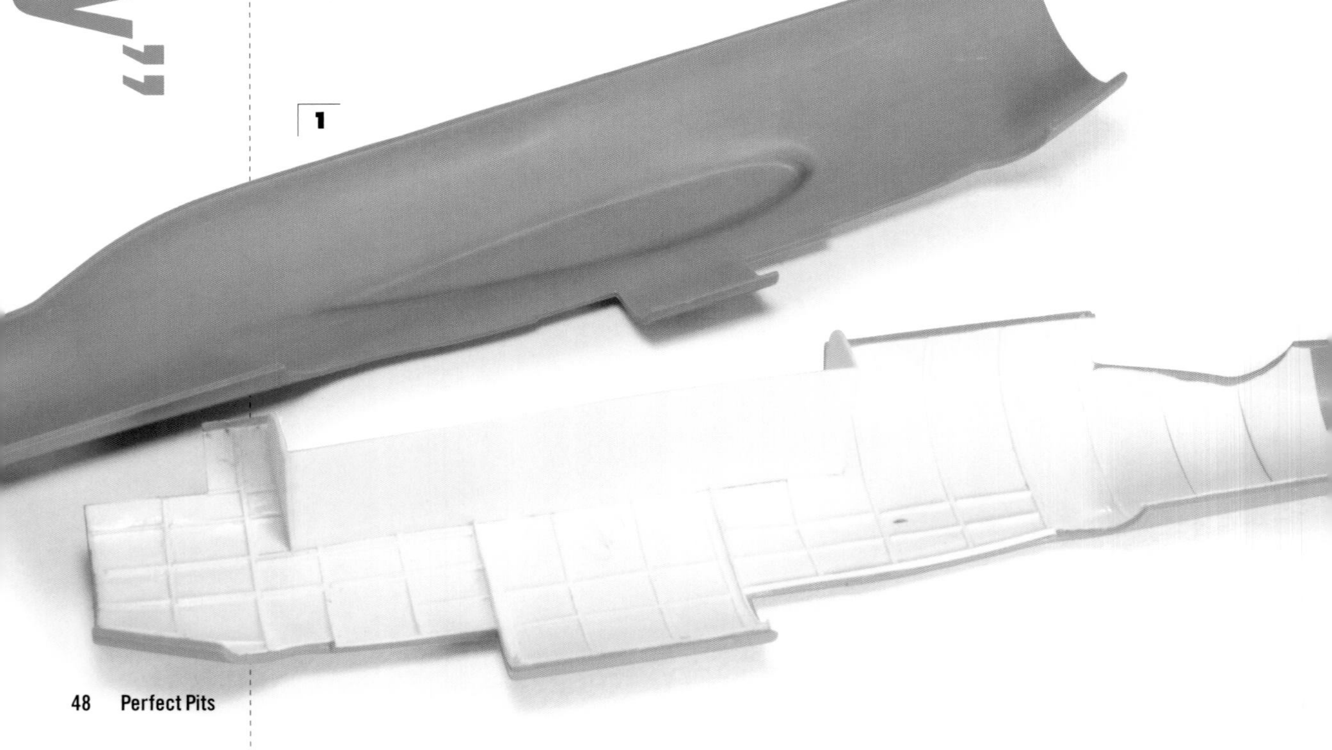

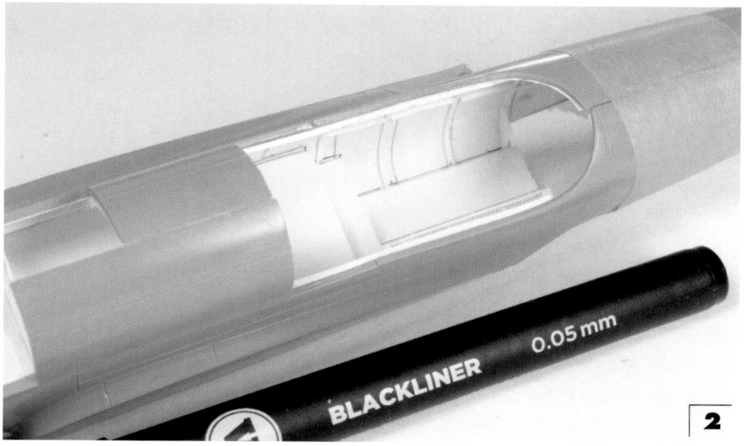

2

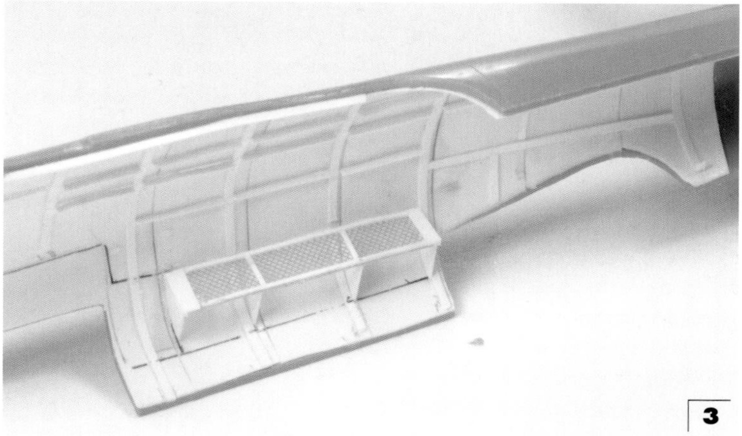
3

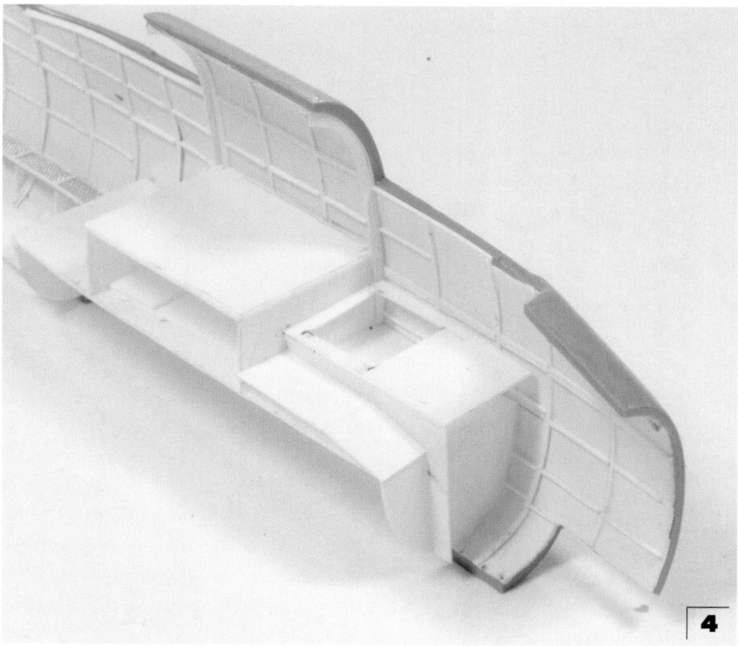
4

2. 胴体の両側面はテープで固定し、フロアの水平をマークしました。これで、他の細部を正確に計画して、パーツを配置できるようになりました。

3. フロアの水平をマークしてから、リブとストリンガーを完成させました。観測員の座席の両側には、予備のエッチングメッシュで棚を追加してあります。

4. 操縦席の位置については、独自の研究が必要でした。キットの配置はほぼフィクションであるため、内装からスクラッチビルドする必要があったのです。困難なのは情報収集であり、『丸メカニック』や『航空ファン』が助けになりました。

Ki-48 "Lily"

5

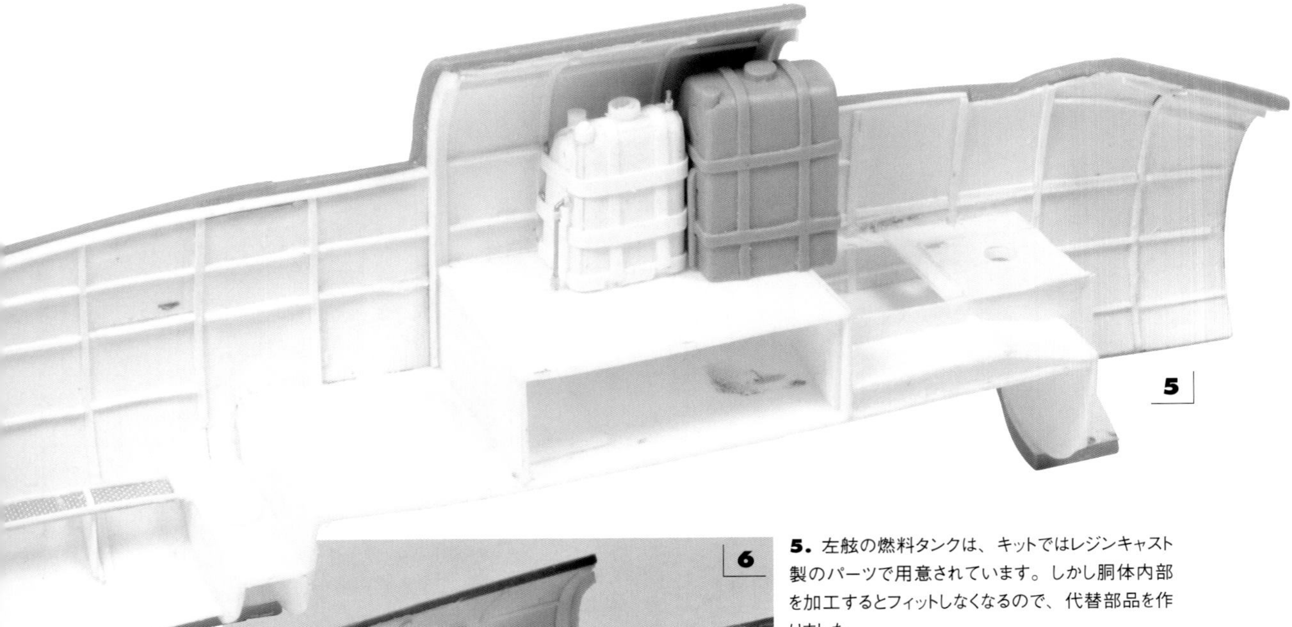

6

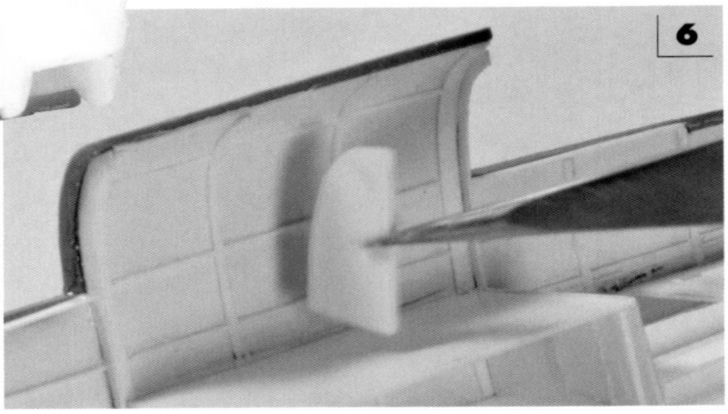

5. 左舷の燃料タンクは、キットではレジンキャスト製のパーツで用意されています。しかし胴体内部を加工するとフィットしなくなるので、代替部品を作りました。
箱形のタンク本体を作り、適切なサイズのプラ棒で内部の角を埋め、角を研磨して曲面を作りました。資料を参考にディティールを詰めていきます。

6. タンクの縁のカーブを作るために、1 枚をほぼ正しい形にカットして、紙ヤスリで成型します。そして、それを元にもう 1 枚複製しました。

7

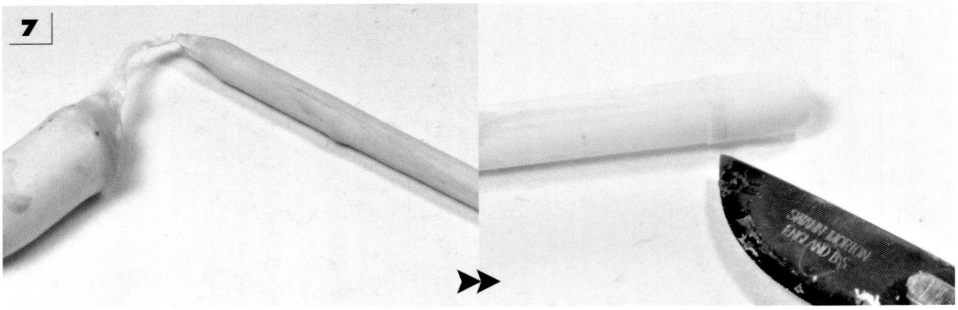

7. 酸素ボンベの製作は難題です。私の場合は、硬質スチロール棒の端を丸く切り落とし、手で紙ヤスリをかけ、スチロール棒を回転させて成型します。バンドは、大きめのスチロールチューブを棒の上で熱し、こよりながら切り離して作りました。

8

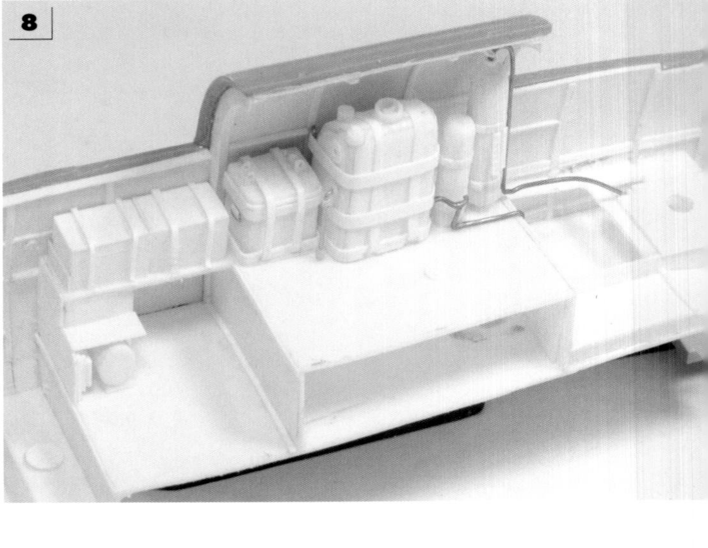

8. 酸素供給用のラインは鉛の線で追加しました。バッテリーと水用タンクは、燃料タンクと同じ要領で作成しました。実際の機体では、タンクの下部にある大きな空洞のなかに、主翼のスパー（翼桁）とメイン燃料タンクが格納されています。このキットの場合、主翼は合いが悪いので、後で主翼の位置合わせと支持を適切にするために、この部位の完成前にいくつかの穴を切りました。

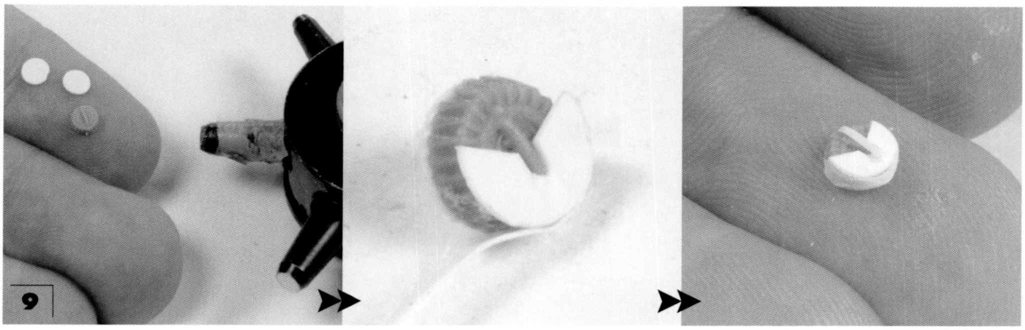

9. 機内に収納されている多数のドラム弾倉は、ファインモールドの 1/48 ナノ・アヴィエーションシリーズ、九二式 7.7㎜旋回機銃（商品番号 NC11）を使用します。このセットには日本がライセンス生産したルイス機銃が 8 挺と、32 個のドラム弾倉が入っています。数は充分ですが、これを格納するポーチを自作しなければなりません。今回はレザーパンチを使用しました。私はパンチセットを何種類も持っています。シンナーラインやディスペイ (Dspiae) など新世代のサークルカッターは、小さなディスク状の部品を何枚も切り出すには優れモノです。しかしパンチセットが一番便利です。ドラム弾倉の背面にディスクを 1 枚貼り付けた後、前面用に 1 枚を形状に合わせてカットし、2 枚とも貼り付けました。ストリップを外側に巻いて接着剤で固定し、トリミングをしたら、全体を研磨して滑らかに一体化し、留め紐を付けました。

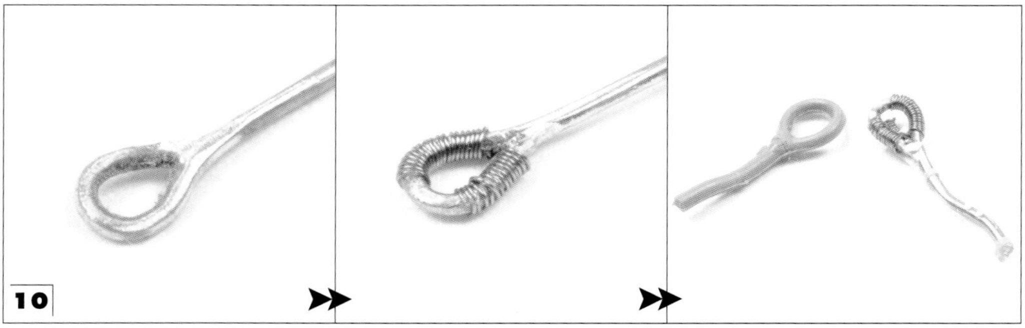

10. AZ モデルのパイロット用ヨークは残念な完成度ですので、新規に作成します。まず真ちゅうの棒を用いて、片方の端を研磨してテーパーを付け、それから焼き鈍しをしてループ状に成型しました。次に接合部をハンダ付けして、ヤスリで滑らかに仕上げました。ヨークのグリップは 0.1㎜径の銅線を巻いて作りました。最後にトリガーなどの操作系やリベット、留め具、電気ケーブルなどの細部を作り込みました。

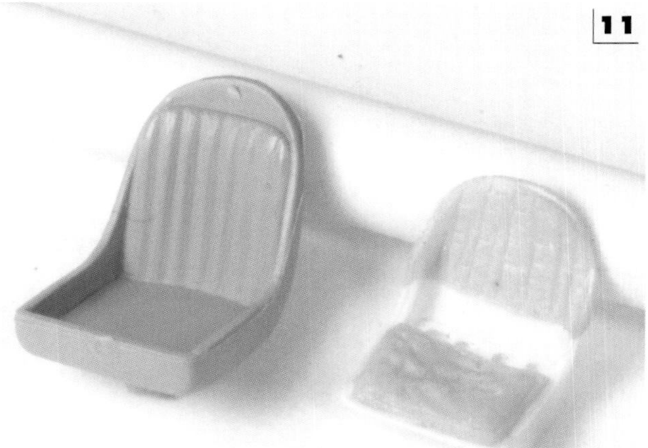

11. AZ の座席シートは大きすぎて形状が悪く、ディティールも間違えています。どれか 1 つだけなら修正可能ですが、全部直すなら作ってしまう方が早いでしょう。私はプラ板でシートを作り、タミヤのエポキシパテでクッションを追加しました。

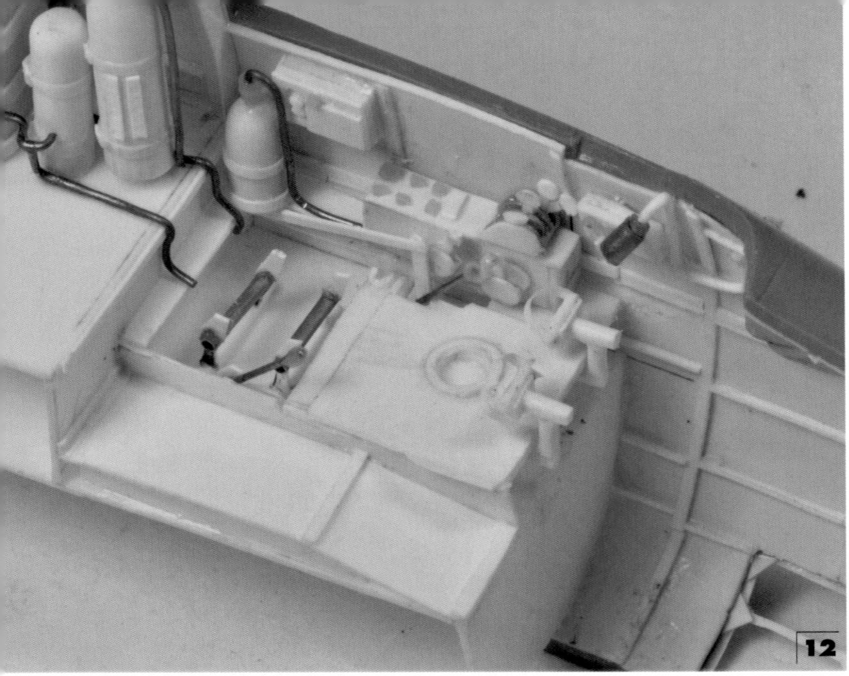

12. AZ のパイロット・セクションは基本的な造りですが、間違いだらけです。もっとも、こうした状況は模型では珍しくはありません。ここで問題になるのは、課題となる箇所の情報を得るのに、多くの参考文献が必要なことです。ここでは『丸メカニック』が不可欠です。理屈では何でも作れるとしても、作り込み過ぎるのは悪夢です。優れた資料の有無を確認してから着手すべきでしょう。

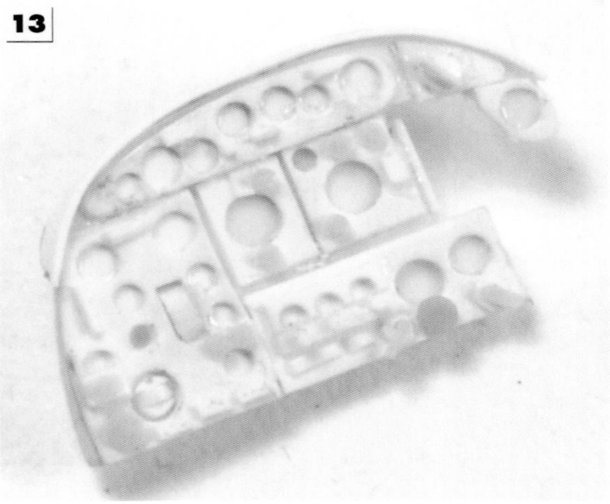

13. 操縦席の計器パネルも同様です。キットの部品を複製するのではなく、模型の実寸から計り直して、まず全体のベースとなる計器パネルを作りました。そして RP ツールズのパンチとダイのセット、それから ANYZ のレジンキャスト製ノブ・ダイヤルとスイッチを使って、計器類を作りました。資料を参考にディティールを詰めていきます。

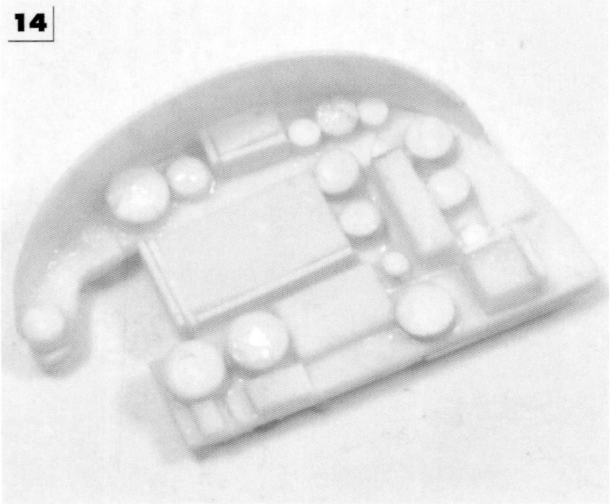

14. キットにはコームがありません（代わりに計器パネルを 1 cmほど前方にマウントさせるようです）。私は薄いプラ板で計器パネルを追加し、パネルを正しい位置に固定できるようにしました。大型の機首のブリスターからなかを覗いた時に見えるように、計器箱と丸い背もたれを追加しました。

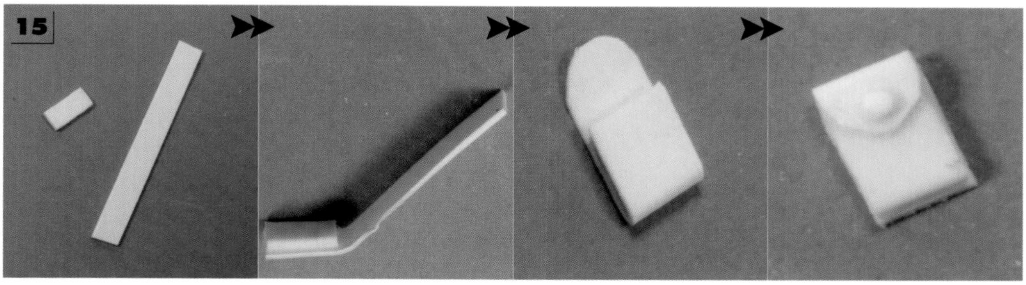

15. 機内にはレザーやキャンバス地のポーチが多数あります。これらは作成は容易ですし、見栄えも良いものです。まず厚さ1㎜のプラスチックの短冊と、その短冊より少し幅広の厚さ0.2㎜の帯を用意します。これを帯の末端のところで接着します。次に1㎜厚のプラ板の端からプラ板を巻いていきます。そして帯の端を切り落とし、成型してフラップを造ります。余分な幅が、ポーチの縁を平らにしたような印象を与えるので。最後にフラップを折り返して、0.2㎜厚のシートからパンチした、ドーム型のリベットを使い、ボタンを付けます。

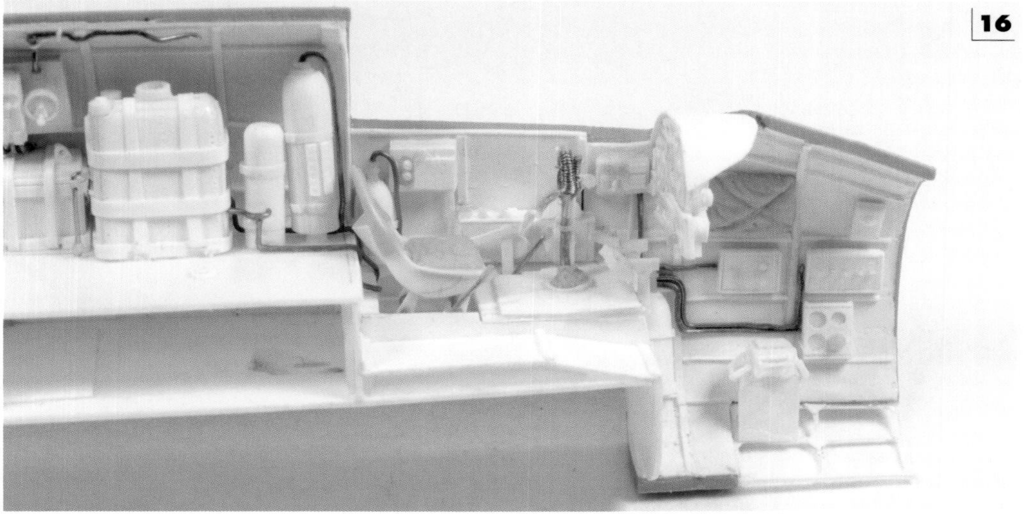

16. 爆撃手席の周りも手間がかかります。とは言っても、装備品は箱ばかりなので、問題はどれだけ四角い箱を上手に作れるかということです。なるべく簡単に自作するため、プラ板を重ねて端が正方形になるよう成型し、帯で包み込むようにすると、美しくシャープな仕上がりとなります。写真の下部にはカメラが確認できます。航空偵察用のカメラは『月刊モデルアート』の情報から作成しました。

17. 右側の制御コンソールは0.1㎜径の銅線でディティールアップしています。ループ状にすることで反対側の位置が決めやすくなりました。

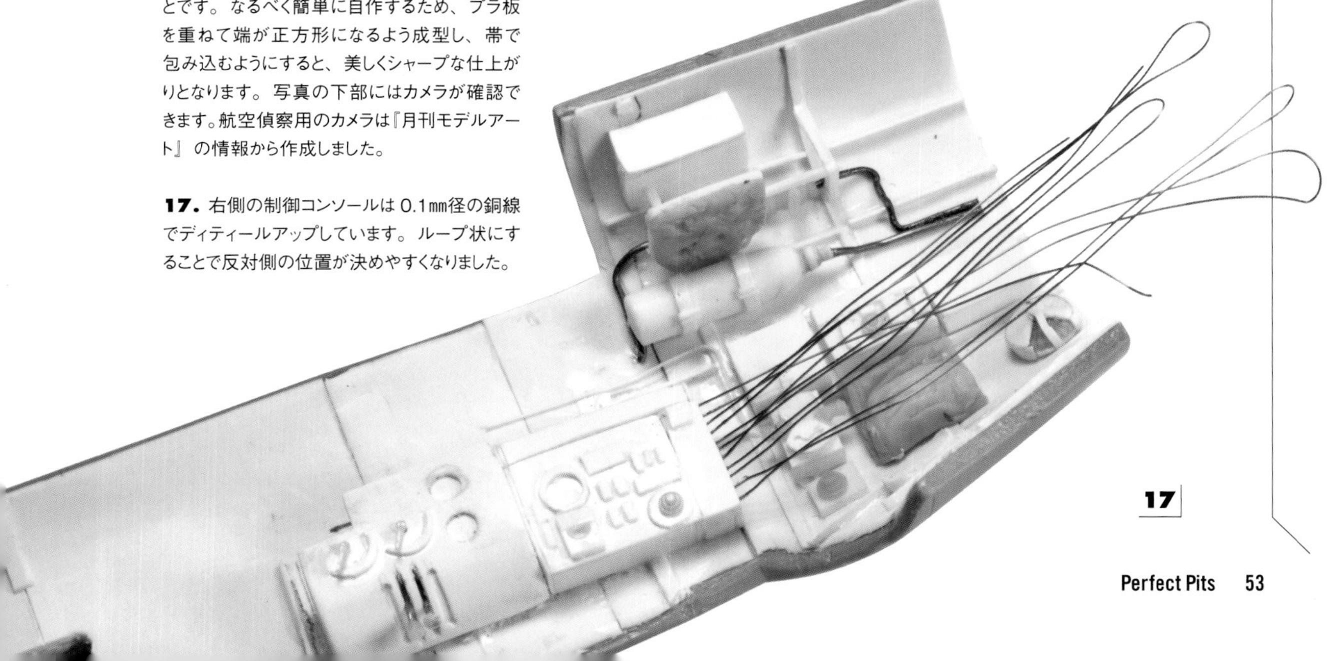

18

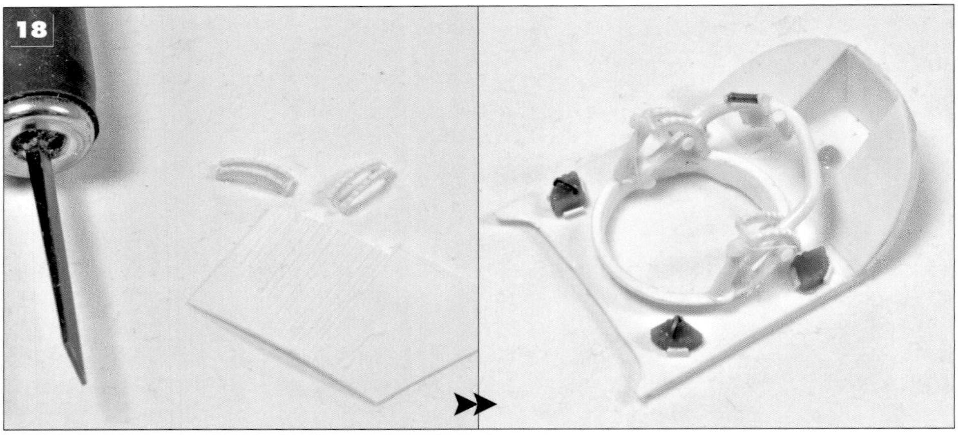

18. 機銃用のスカーフ・リングの製作は困難ではありません。上手なスクラッチビルドはキットパーツを進化させますが、実現するにはいくつか古典的な問題解決を要します。最初の問題は、エレベーション・ギアの歯の再現です。この作成に、私は何枚かのプラ板をスクライバーを傾けて使い、「V」字型の溝を掘りました。この作業を繰り返して必要数より多くのパーツを作り、精度が高そうなパーツを選び出しました。それを短冊状にカットして、Dspaie のサークルカッターでカットしたプラ板製のリングに取り付けました。ロッド状のパーツは、ロウソクの火でプラ棒を柔らかく熱し、折り曲げて作成しました。これは試行錯誤の連続ですが、何度か挑戦すれば、たいていは狙い通りの形に仕上げられます。バーのスムーズな動きを制御するケーブルもプラ棒を伸ばして作り、様々なプーリーやノブは、パンチとダイで穴をあけました。

19

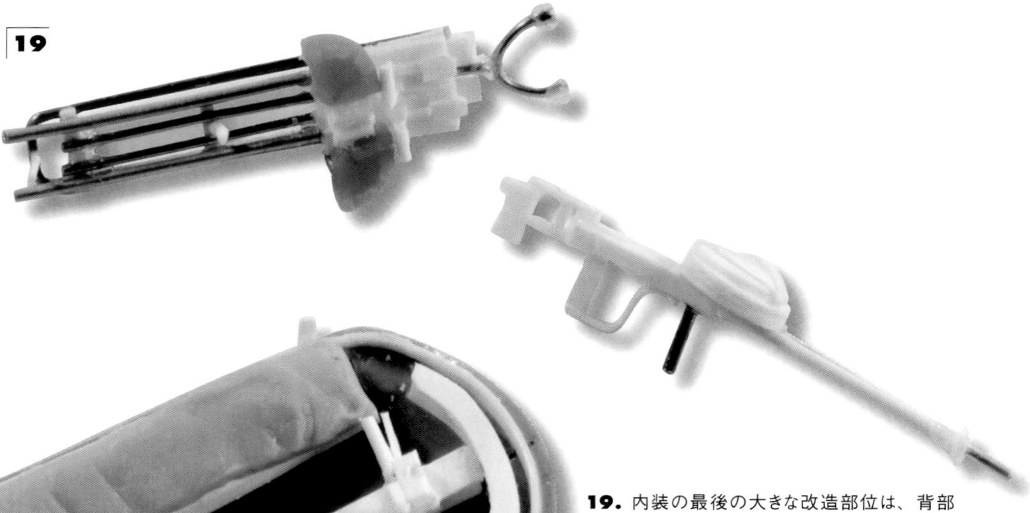

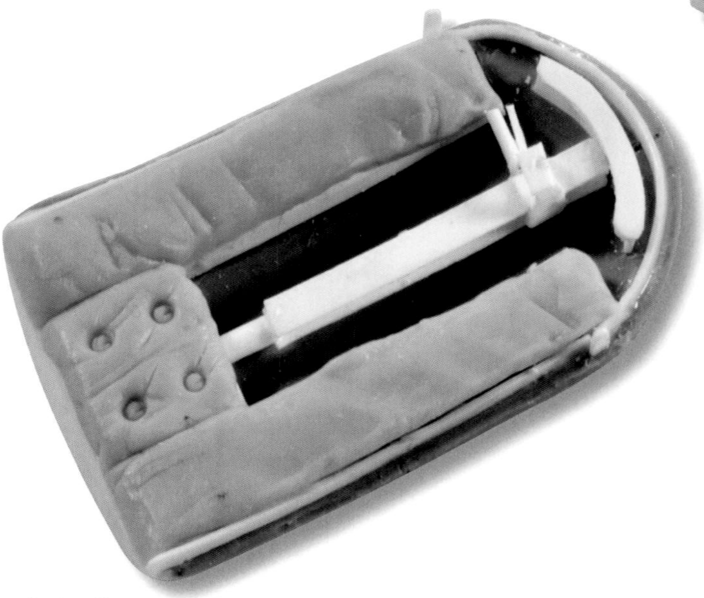

19. 内装の最後の大きな改造部位は、背部ハッチと連装機銃です。ハッチはスケール感の演出のため、研磨作業でかなり薄く仕上げました。他の部分の追加は容易です。問題は機銃で、私が知る限り、1/48 の八九式旋回機関銃は、単装、連装を問わず、アフターマーケットのメーカーも含め入手できません（Wingsy のソニア・キットでは高品質のものが提供されていますが）。銃身は Albion Alloys のアルミ・マイクロチューブを使用し、プラスチック材から組み立てました。これらのパーツの良質な写真は、Australian War Memorial のサイト http://awm.gov.au（"type 89 " で検索）で確認できます。

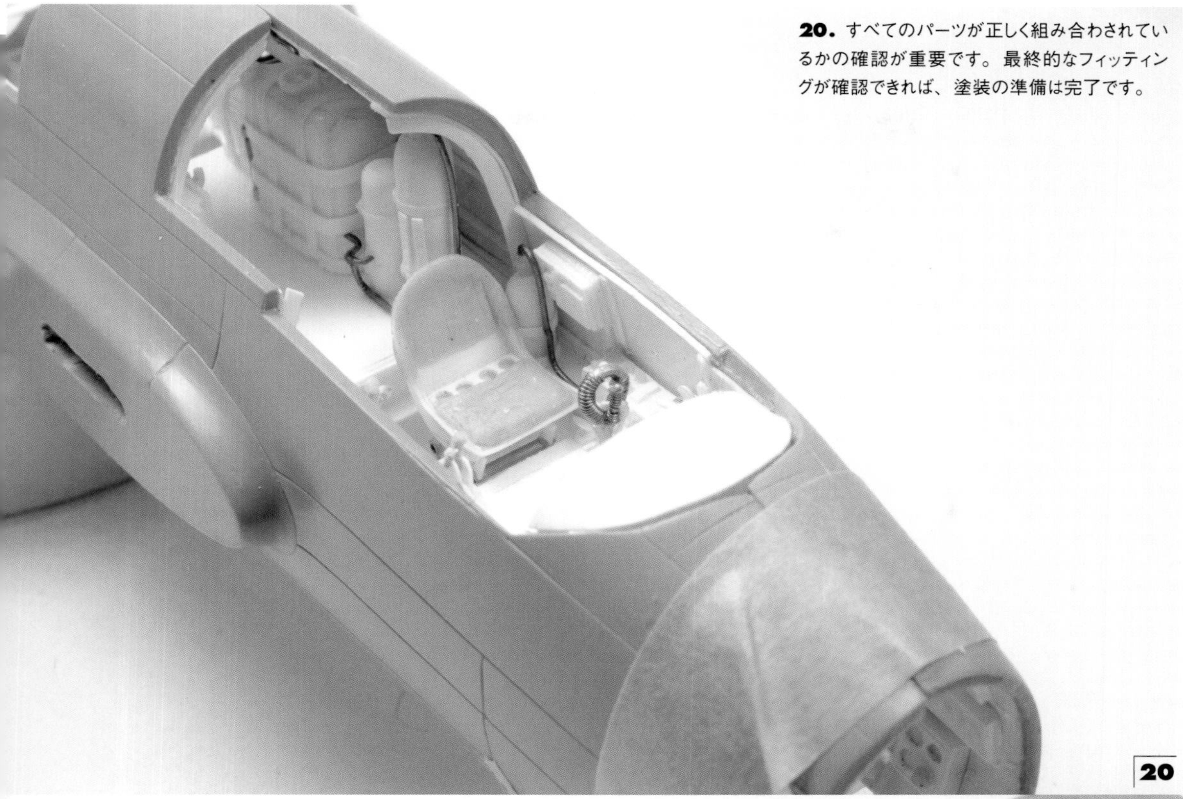

20. すべてのパーツが正しく組み合わされているかの確認が重要です。最終的なフィッティングが確認できれば、塗装の準備は完了です。

20

21

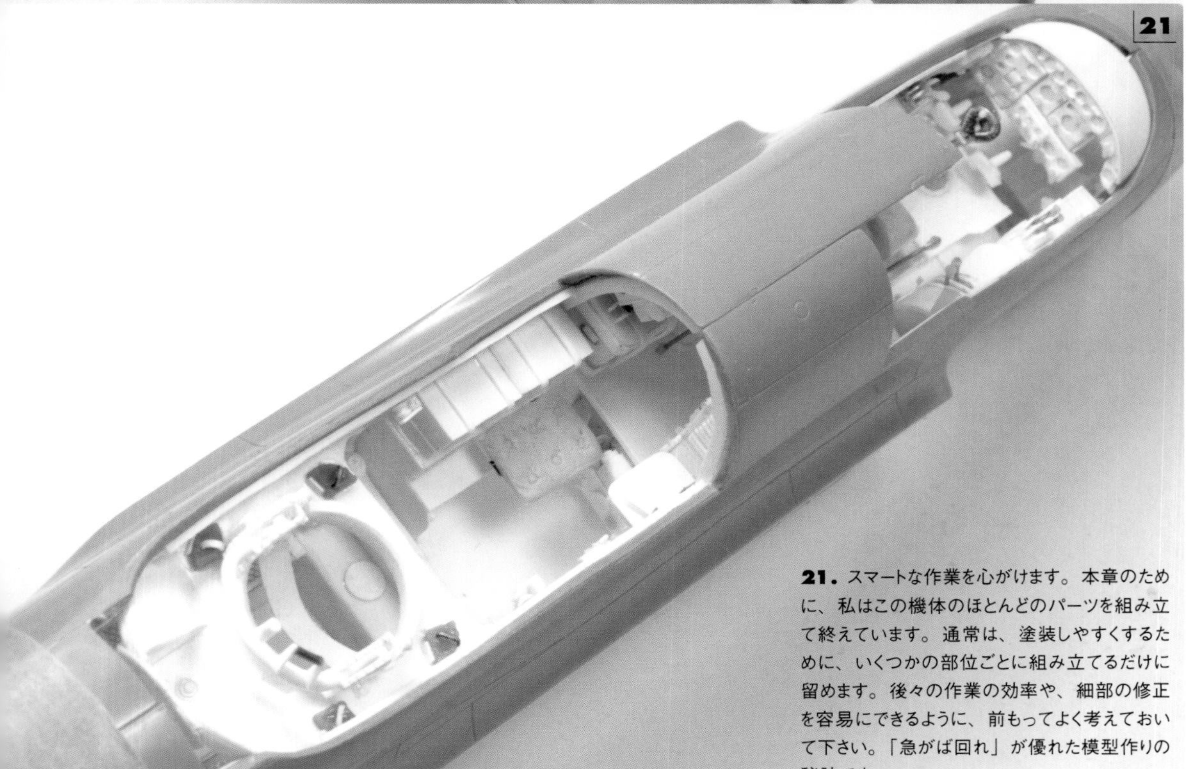

21. スマートな作業を心がけます。本章のために、私はこの機体のほとんどのパーツを組み立て終えています。通常は、塗装しやすくするために、いくつかの部位ごとに組み立てるだけに留めます。後々の作業の効率や、細部の修正を容易にできるように、前もってよく考えておいて下さい。「急がば回れ」が優れた模型作りの秘訣です。

Ki-48 "Lily"

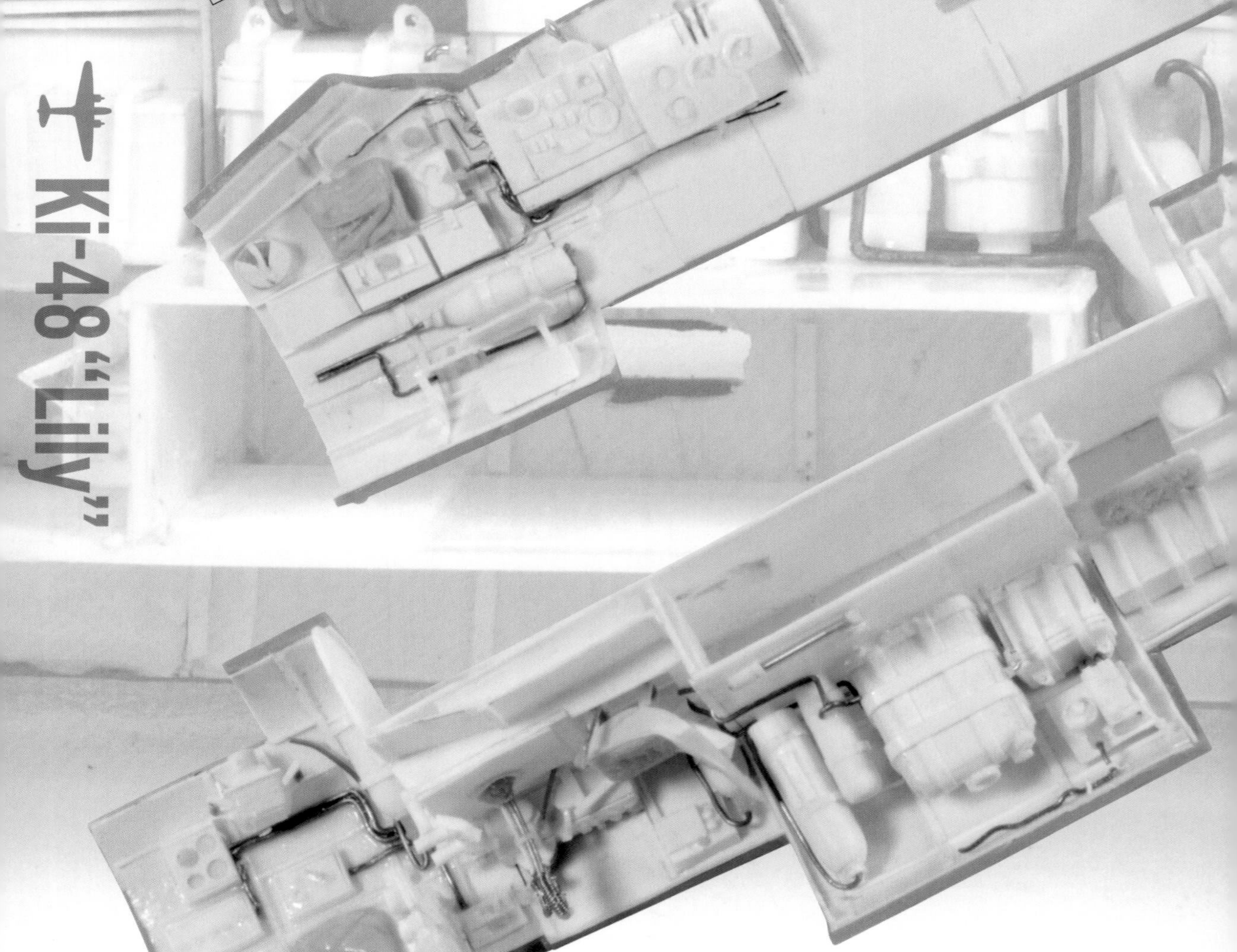

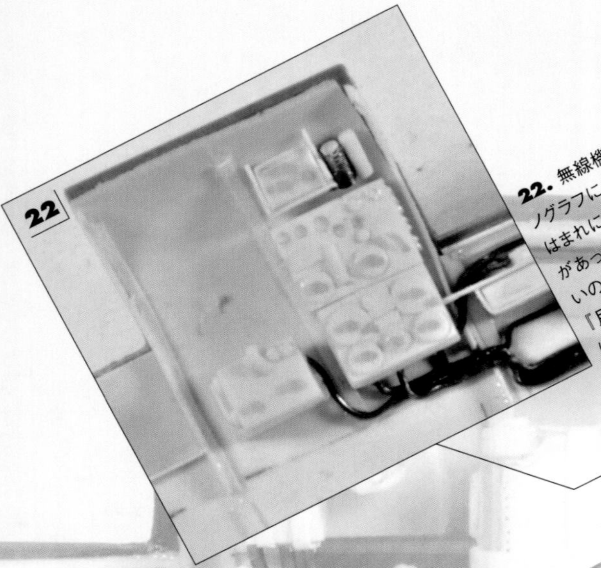

22

22. 無線機などのディティール調査は困難です。対象機種のモノグラフに、スクラッチ作業にかなうような装備品の詳細な写真はまれにしかありません。代わりに、その本でどんな装備の詳細があったかリスト化しておくと良いでしょう。無線機は搭載機も多いので、機体そのものより調べやすい場合があります。ここでは『月刊モデルアート』が役立ちました。装着部位や構成は機体によって変わりますが、これも資料に丹念にあたるしかありません。

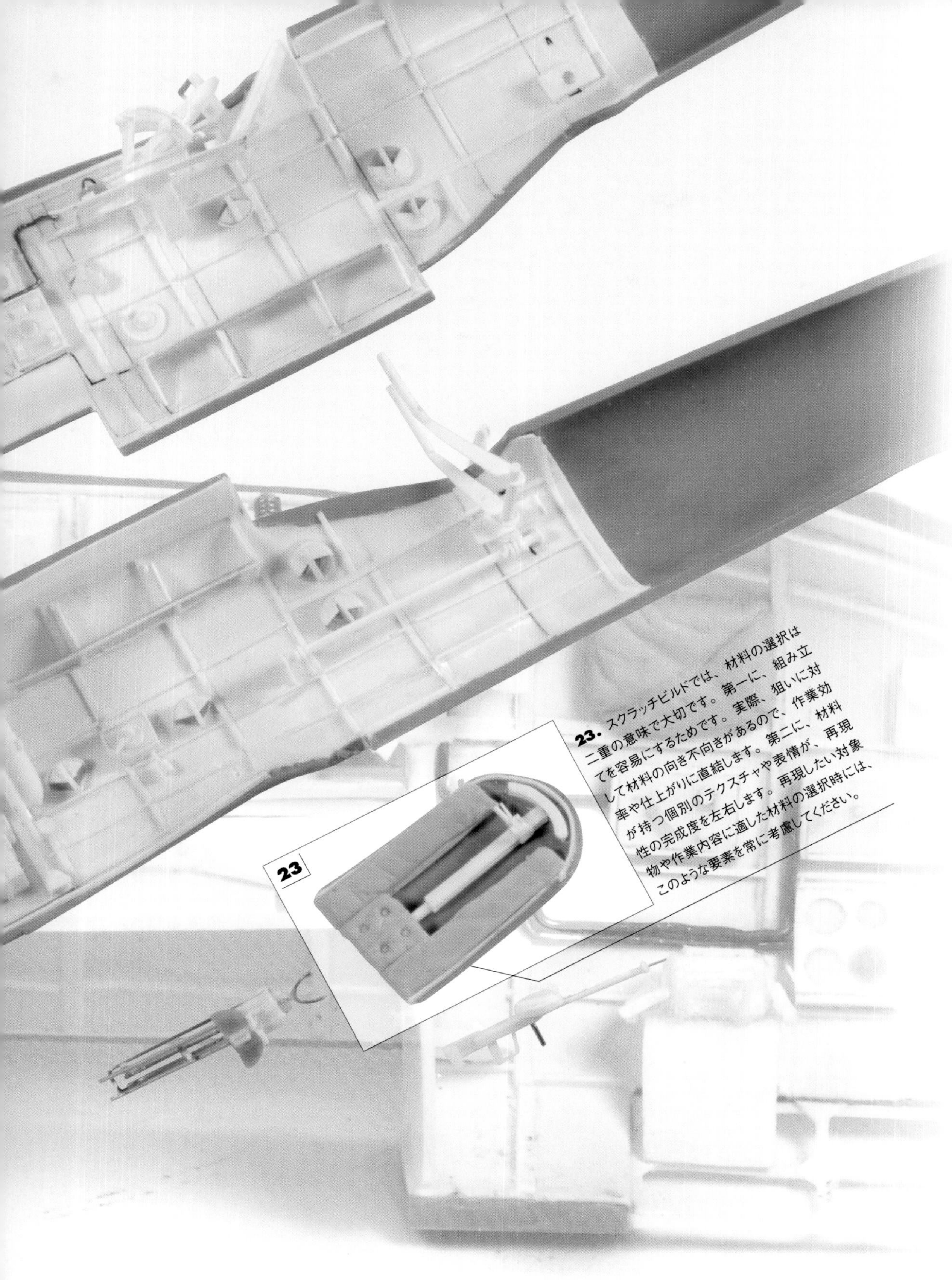

23

23. スクラッチビルドでは、材料の選択は二重の意味で大切です。第一に、組み立てを容易にするためです。実際、狙いに対して材料の向き不向きがあるので、作業効率や仕上がりに直結します。第二に、材料が持つ個別のテクスチャや表情が、再現性の完成度を左右します。再現したい対象物や作業内容に適した材料の選択時には、このような要素を常に考慮してください。

Ki-48 "Lily"

24

24. これが完成した、キー 48 九九式双発爆撃機。機体はリベットなどの追加は行わず、キットなりに仕上げてでいる。あれほど手を入れたコクピットは肉眼で覗かないと見えないという飛行機模型の宿命で、完成写真からは全く垣間見れない。しかし、だからこそコクピットを作り込むことがモデラーの心を揺さぶるというのは自己満足以上のものを作り手に与えてくれる。

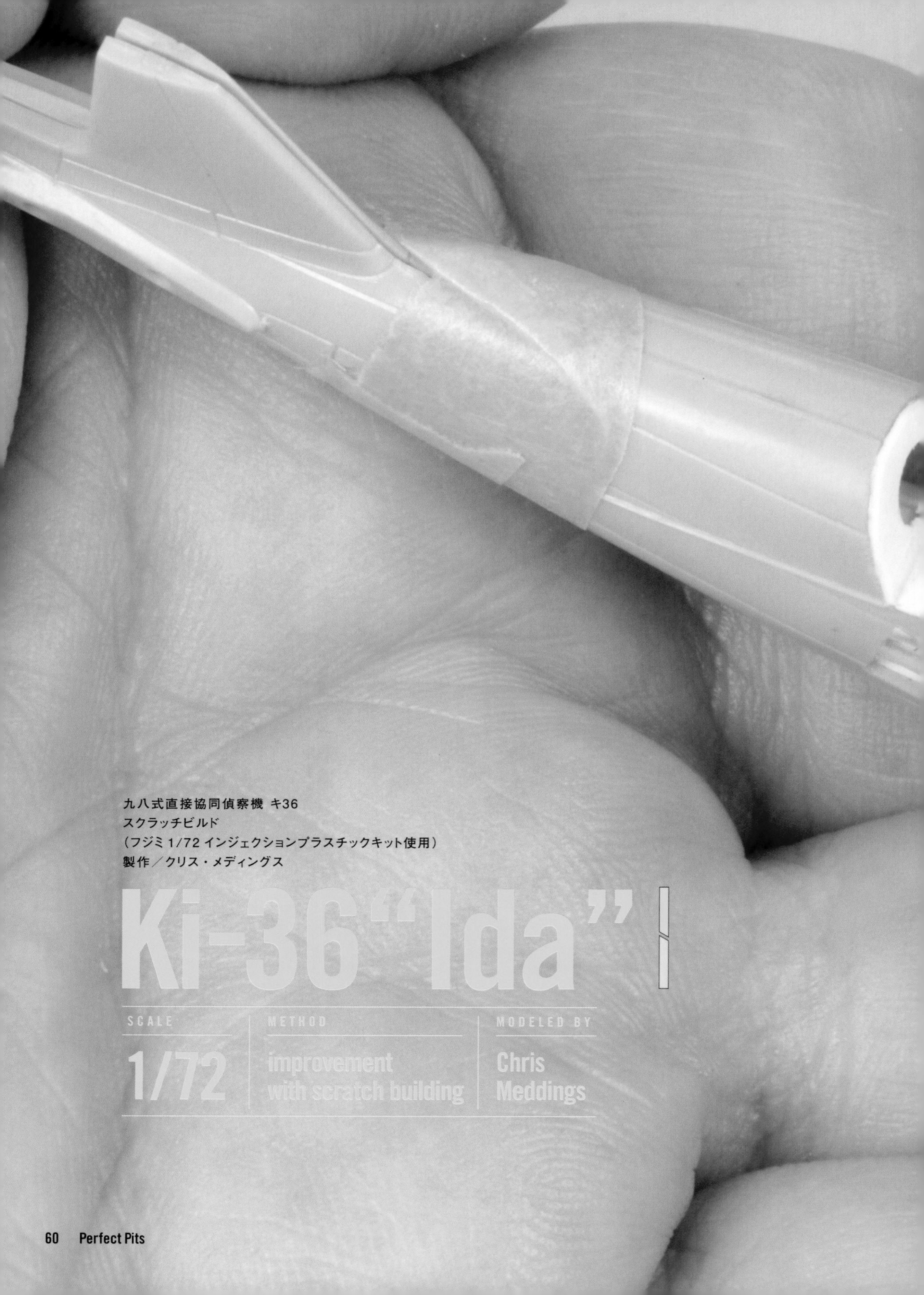

九八式直接協同偵察機 キ36
スクラッチビルド
（フジミ 1/72 インジェクションプラスチックキット使用）
製作／クリス・メディングス

Ki-36 “Ida”

SCALE	METHOD	MODELED BY
1/72	improvement with scratch building	Chris Meddings

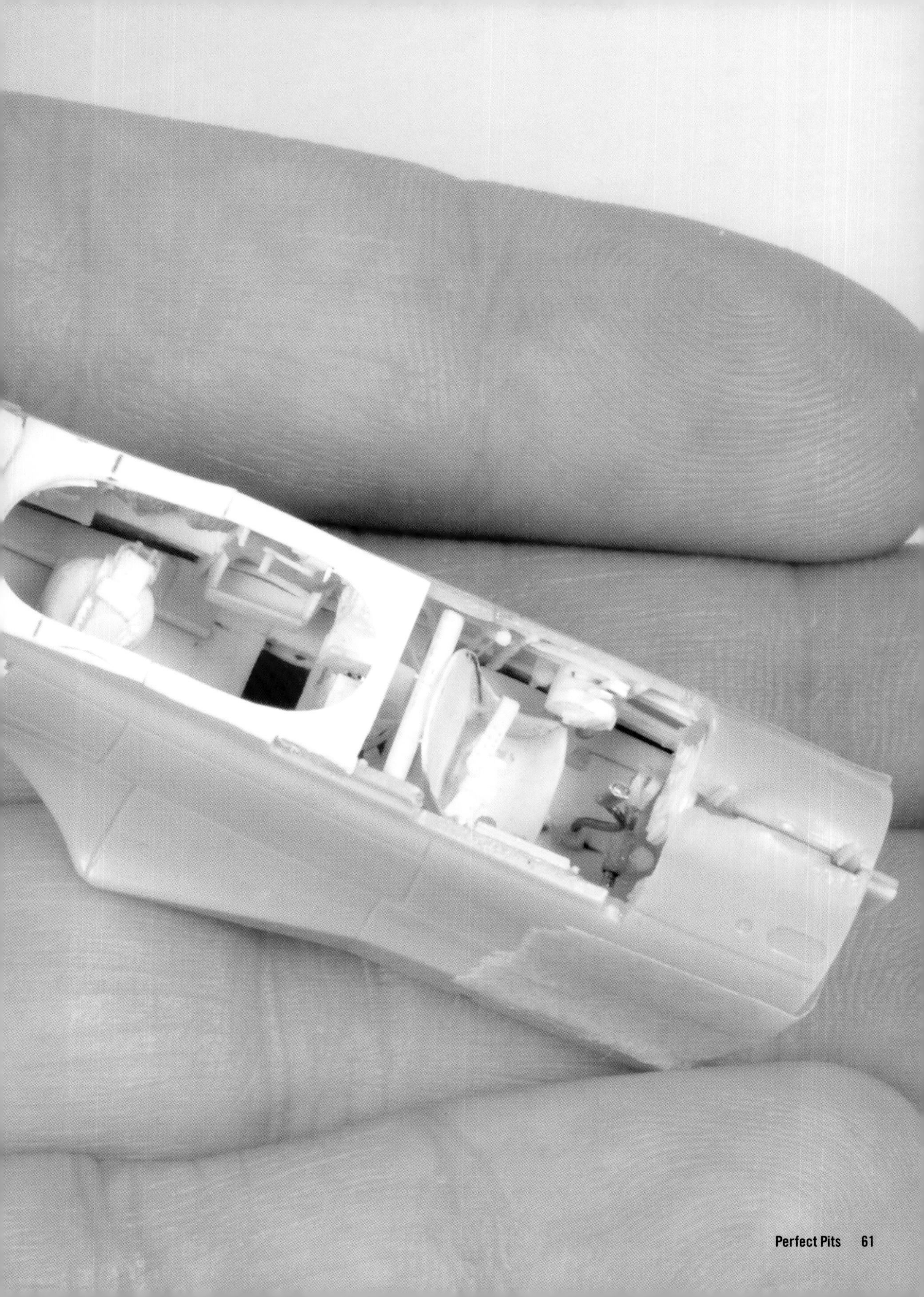

Ki-36 "Ida"

スクラッチビルドによる改良

この章では、かなりの改良を要する古いキットへの取り組みを紹介します。先のキ 48 と同様に、このキ 36 もキットの選択肢の少なさに悩まされます。基本的にフジミのキットは 1/72 ですし、その金型は、かなり年季の入ったモデラーの私より古いのです。

それでも私はキ 36 を作りたいし、この本でも 1/72 のキットを扱う必要があります。

1/72 スケールのキットには、1/48 とは違った難しさがあります。小さいから難しいのはもちろんですが、このスケールではプラスチックの扱い方が少し難しくなるのです。スケールが小さくなると、プラスチック材もメーカーによる挙動の違いがかなり出てきます。そのため、プラスチック材の強度や成型の仕方などに知識と経験の蓄積が必要になるのです。

このスケールでの作業では準備も重要です。鋭利な切除ツールと、光学系のデバイスが必須です。非常に小さなパーツの成型では、メスの刃を頻繁に交換しなければなりません。これを軽んじると、作業が苦痛になります。

また、視力に自信がなければもちろんのこと、細かい作業に不慣れな場合は、迷わず拡大鏡などを用意すべきでしょう。

そして充分に明るい場所での作業を心がけて下さい。この作業では眼精疲労が大敵です。

では、さっそく始めましょう。

1

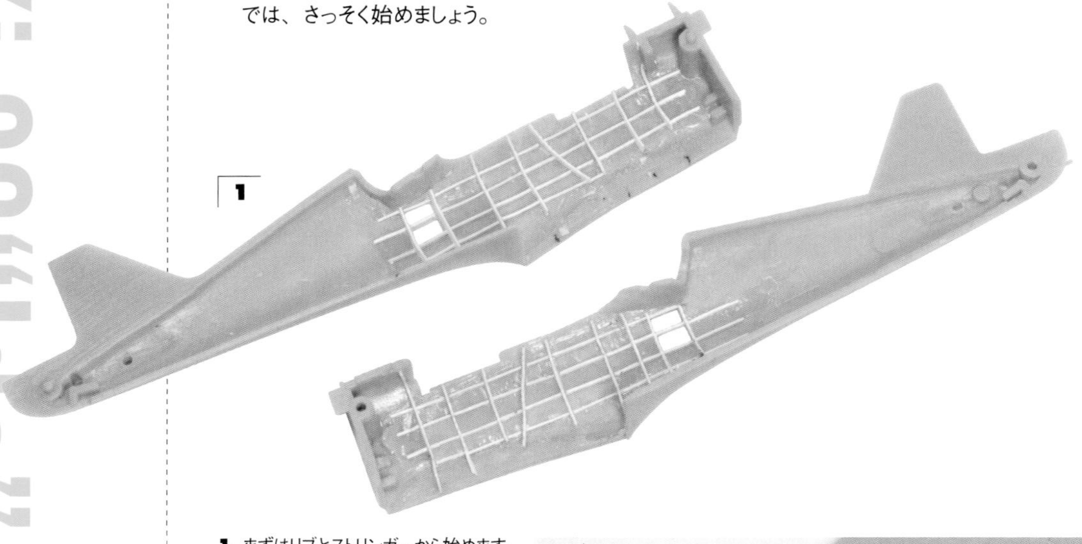

2

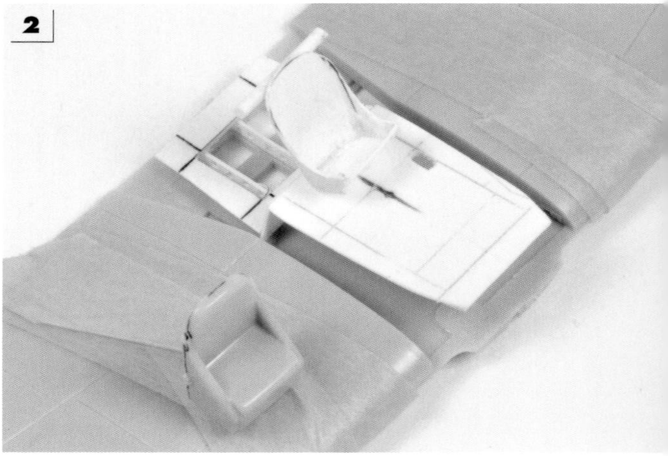

1. まずはリブとストリンガーから始めます。今回参考にしたのは、Arawasi "Eagle Eye Series, No.1:Mitsubishi Ki-51 Sonia / Tachikawa Ki-36 Ida です。写真の部位は、最終的には隠れてしまうのですが、手始めには理想的な部位です。

2. 本キットは、操縦席のパネルの表現がシンプルです。発売時期を考えれば再現度は仕方ありませんが、本書の企画である以上、このままというわけにはいきません。作り込みの取りかかりとして、私はフロアの下に支持フレームを追加して、新たにフロアを作り直し、精度の悪いキットの座席も撤去しました。

3

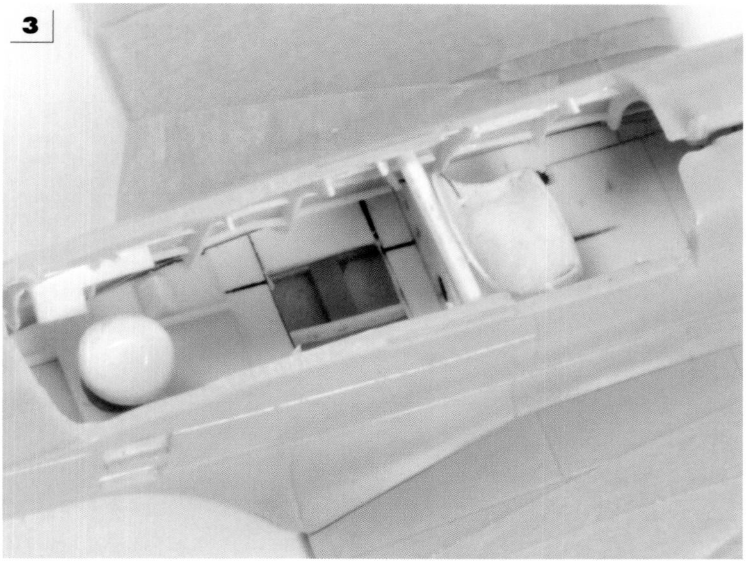

3. 前章のキ 48 と同じように、テストフィットをしながら慎重に進めます。今回はコクピットのフロアが広すぎて、胴体の貼り合わせに干渉してしまったので、このあと、少しヤスリがけが必要でした。
また、このテストフィットで、操縦席の背後にある筒状パーツの配置に問題があることにも気付きました。

4. 観測員の後部にフェアリングがあります。キットでは大きなソリッドパーツになっていますが、本来は穴があいているのです。そこで新たにプラ板から新しい部品を作ります。また開口部はパンチ加工やカッターでは上手くいきませんので、ドリルで穴を開けて、そこからリーマーで時間をかけて拡張しました。

4

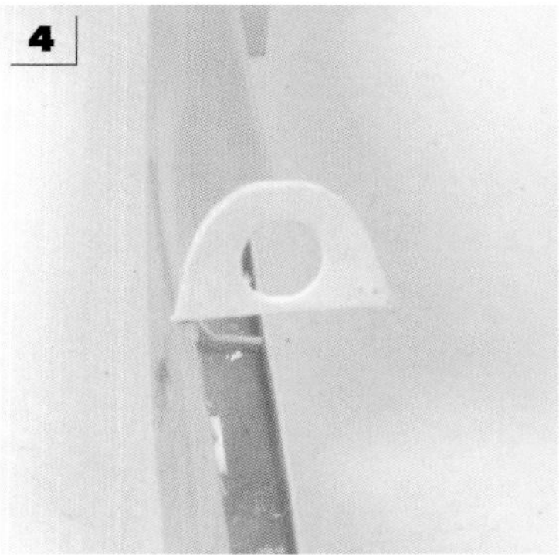

5

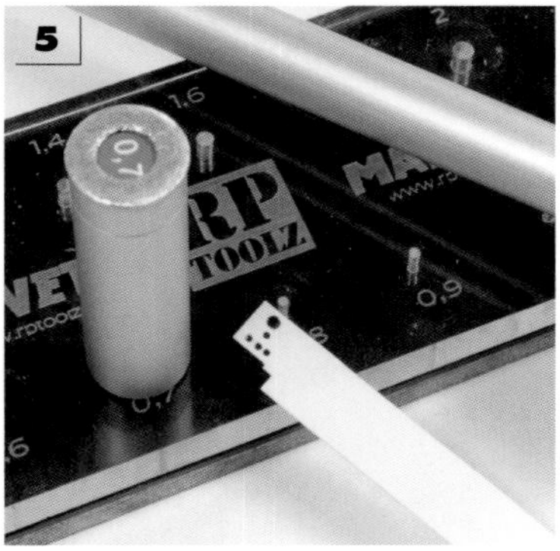

5. RP Toolz のリベットパンチとダイを使い、無線機の細部を作りました。

6. Anyz のノブやダイヤルでディテールアップしました。

6

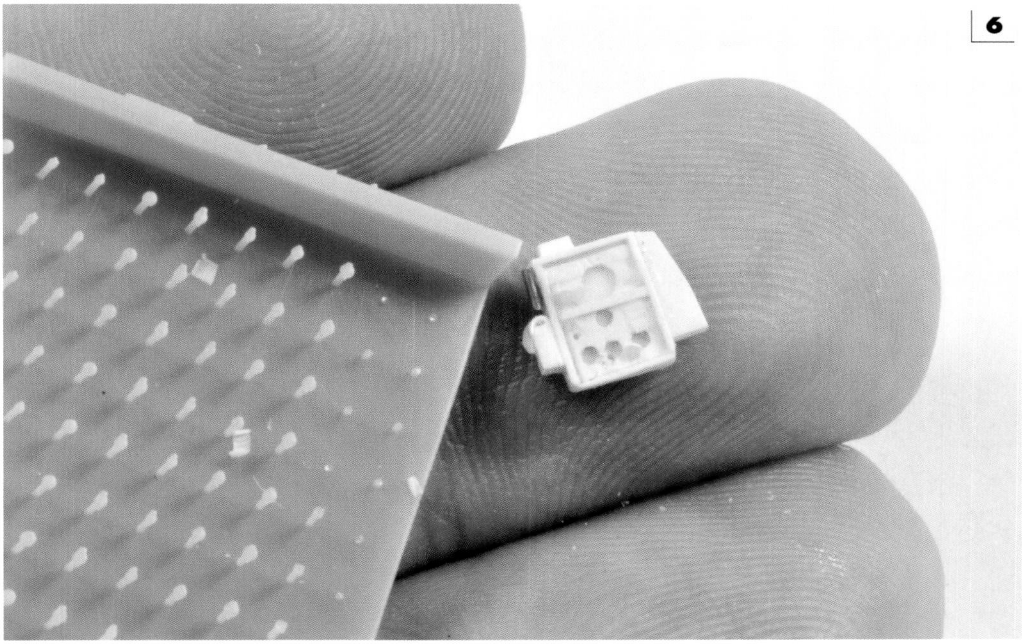

7 LEFT SIDE

7. キャビンの側面には様々な道具を配置して装飾しました。これだけ小さな道具をプラスチック材で成型するのは難しいのですが、ポリセメントは接着剤のようなはみ出しを気にせずきれいに作れるので、ここで使用しています。布地はパテを、ネットは予備のエッチングパーツをふんだんに使っています。

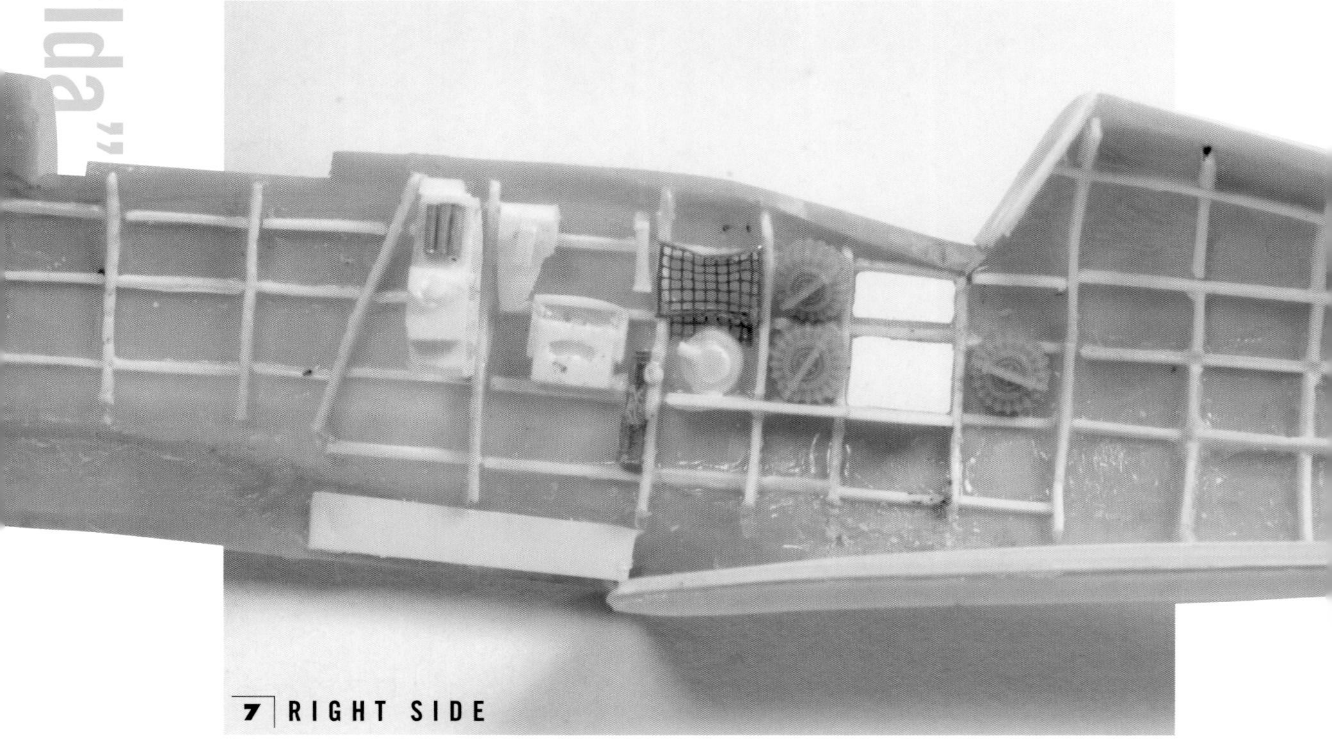

7 RIGHT SIDE

郵 便 は が き

おそれいりますが切手をお貼りください

101-0054

東京都千代田区神田錦町
1丁目7番地　㈱大日本絵画
読者サービス係行

アンケートにご協力ください

フリガナ

お名前　　　　年齢

（男・女）

〒

ご住所

TEL　（　　）
FAX　（　　）

e-mailアドレス（メールにてご案内を差し上げてよい場合にご記入下さい）

ご職業	1 学生	2 会社員	3 公務員	4 自営業
	5 自由業	6 主婦	7 無職	8 その他

愛読雑誌

このはがきを愛読者名簿に登録された読者様には新刊案内等お役にたつご案内を差し上げることがあります。愛読者名簿に登録してよろしいでしょうか。

□はい　　□いいえ

パーフェクトピッツ

9784499233606

「パーフェクトピッツ」アンケート

お買い上げいただき、ありがとうございました。今後の編集資料にさせていただきますので、下記の設問にお答えいただければ幸いです。ご協力をお願いいいたします。なお、ご記入いただいたデータは編集の資料以外には使用いたしません。

①この本をお買い求めになったのはいつ頃ですか？

年　　月　　日頃(通学・通勤の途中・お昼休み・休日）に

②この本をお求めになった書店は？

(市・町・区)　　　　書店

③購入方法は？

1書店にて(平積・棚差し)　2書店で注文　3直接(通信販売)

注文でお買い上げのお客様へ　入手までの日数(　　日)

④この本をお知りになったきっかけは？

1書店店頭で　2新聞雑誌広告で（新聞雑誌名　　）

3モデルグラフィックスを見て　4アーマーモデリングを見て

5スケール アヴィエーションを見て

6記事・書評で（　　）

7その他（　　）

⑤この本をお求めになった動機は？

1テーマに興味があったので　2タイトルにひかれて

3装丁にひかれて　4著者にひかれて　5帯にひかれて

6内容紹介にひかれて　7広告・書評にひかれて

8その他（　　）

この本をお読みになった感想や著者・訳者へのご意見をどうぞ！

●ご記入の感想等を、書籍のPR等につかわせていただいてもよろしいですか？

□ 実名で可　□ 匿名で可　□ 許可しない

ご協力ありがとうございました。抽選で図書カードを毎月20名様に贈呈いたします。なお、当選者の発表は賞品の発送をもってかえさせていただきます。

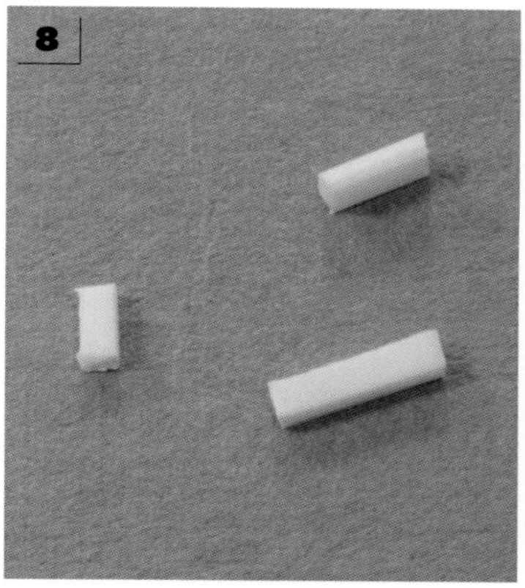

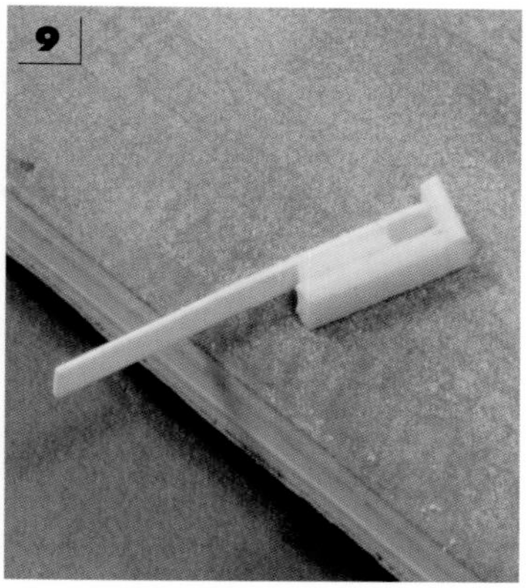

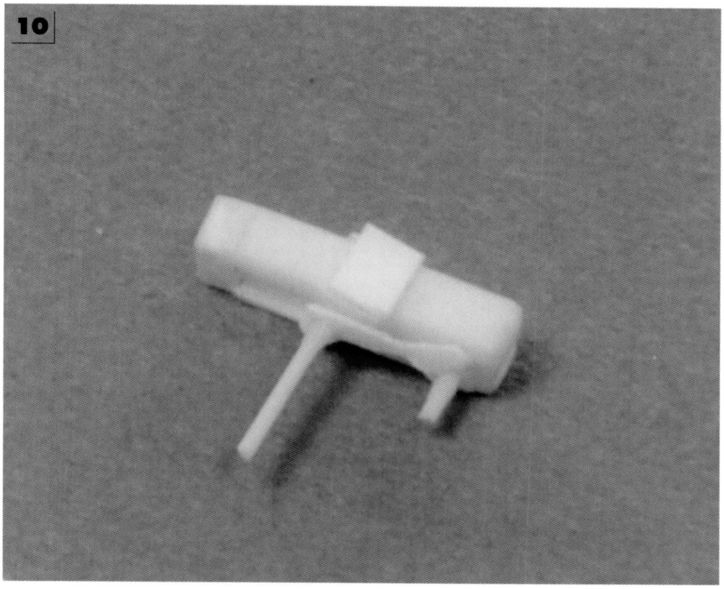

8. キ 36 は機首機銃を備えていますが、キットでは省略されているので、コクピットから見えるように工作しなければなりません。まず 3 枚のプラ板を用意します。

9. これを八九式固定機関銃のベースにするのですが、薄いプラ板を写真のように配列します。この段階ではブリーチが空いています。継ぎ目を消すのに接着剤を使い、ブロック状にします。

10. マウントとチャージング・レバーには極細のロッドが必要でした。研磨で細くするのは大変ですが、熱で伸ばせば簡単です。

11. ハンドル、レバーはピンセットでつまみ、周辺をヤスリで研磨成型します。

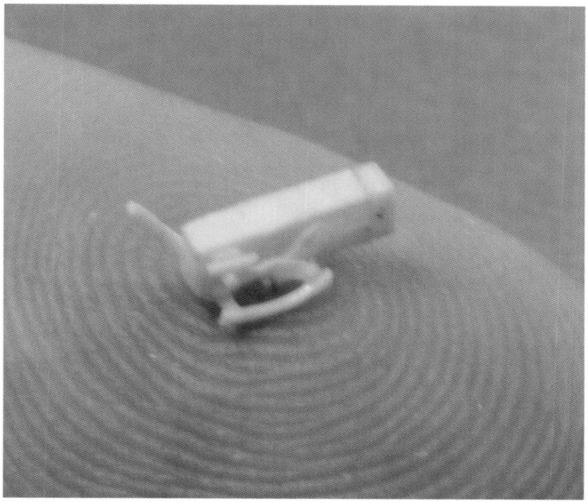

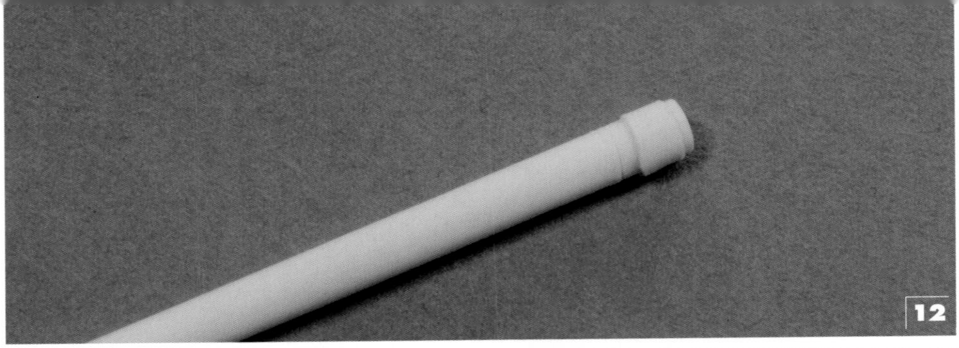
12

13

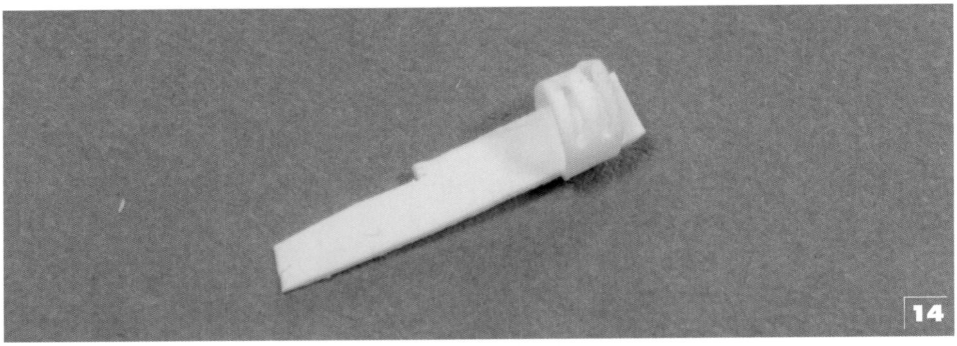
14

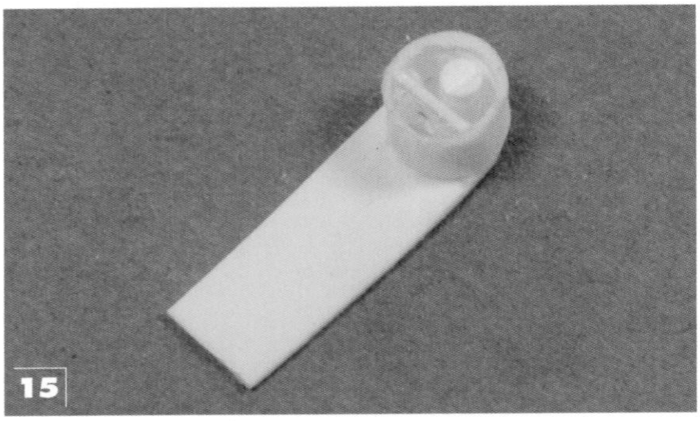
15

16

12. 次はスロットル・クオドラントです。まずプラパイプをロッドの上にかぶせます。

13. プラパイプをロッドに付けたまま、レーザー・ソーでプラパイプに二本の溝を切ります。

14. プラパイプを外し、スロットル・クオドラントの底部に合うようにシートを切って、接着剤で固定します。

15. プラパイプにプラ棒を挿入し、シートで囲んで枠にします。

16. そしてトリミングしてレバーを追加し、クオドラントを完成させます。

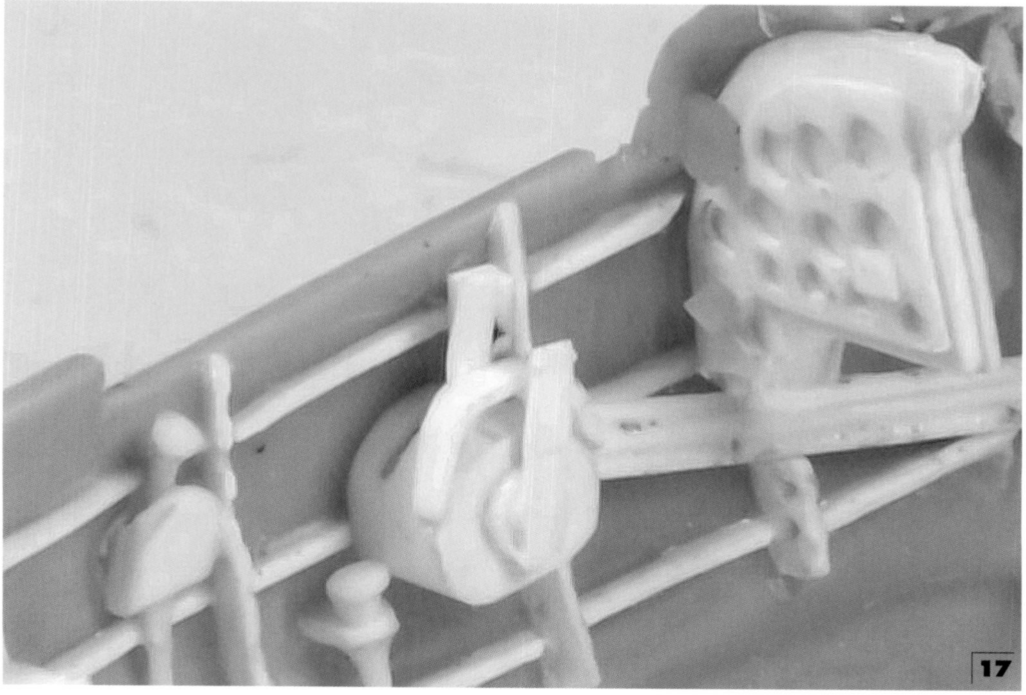

17. クオドラントを装着して、左コクピットのパーツは完成です。

18. コクピットのフロアは、後で塗装しやすいように別に作りました。それでも側壁のディティールとの調整は常に試行錯誤でした。

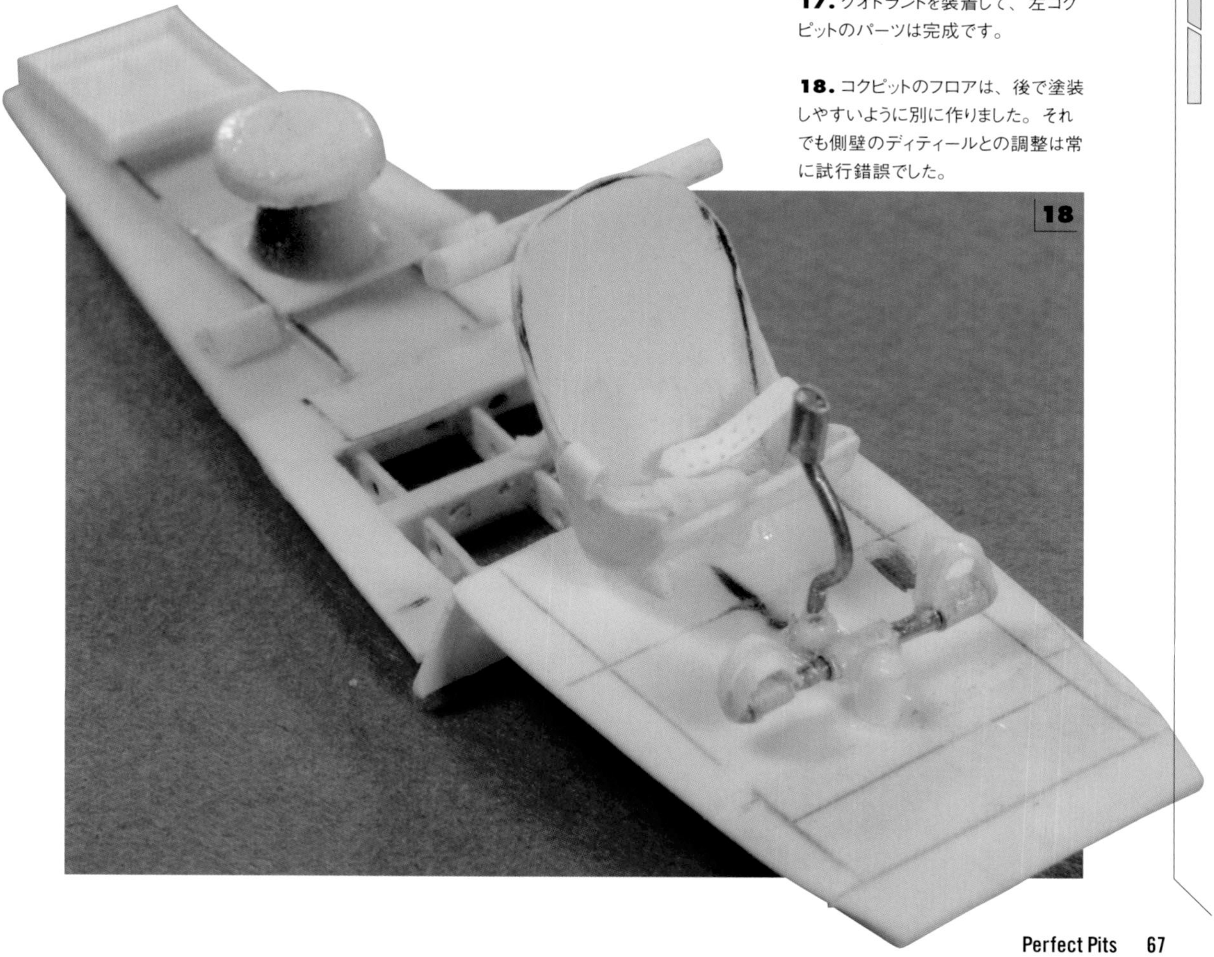

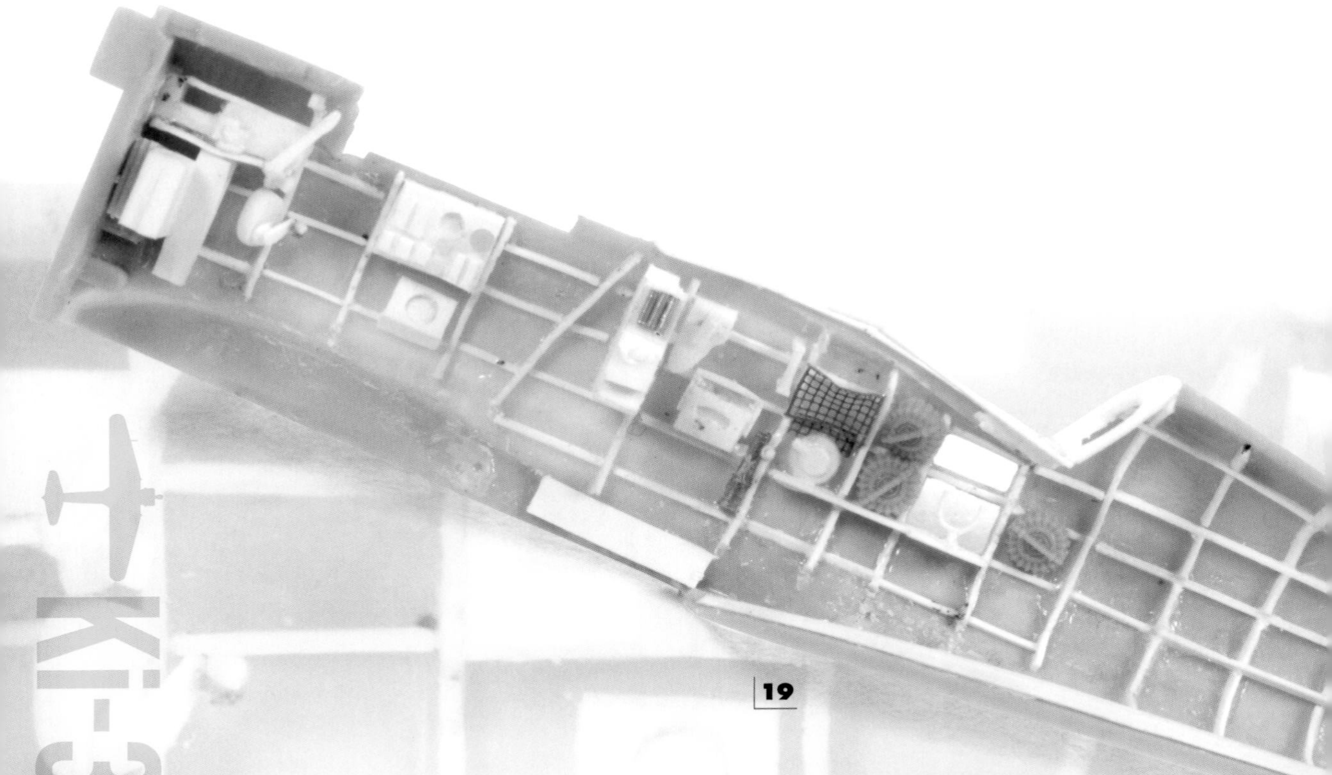

19

19. 機体の右側も、左側と同様に手間がかかります。

20. テストフィットですべてのパーツが正しく収まるのを確認後、 塗装のために再びパーツを切り離します。

20

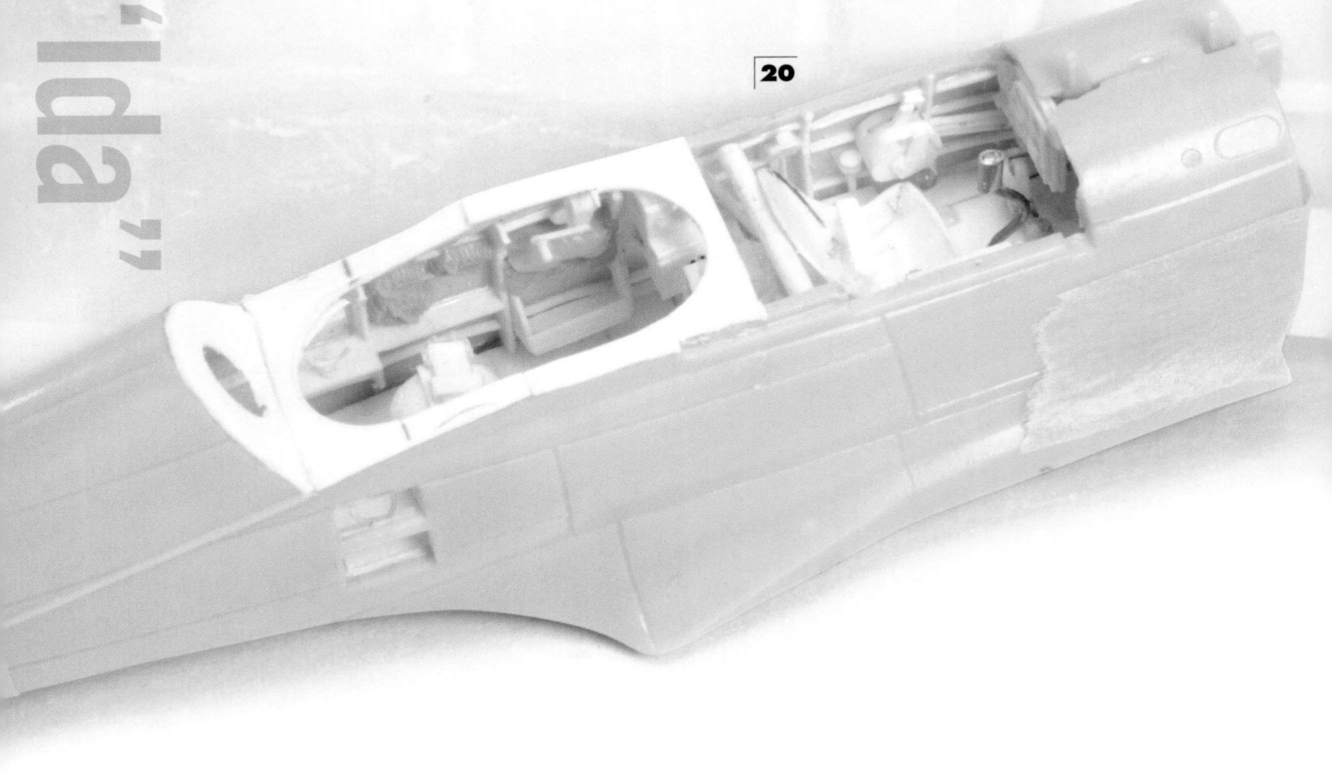

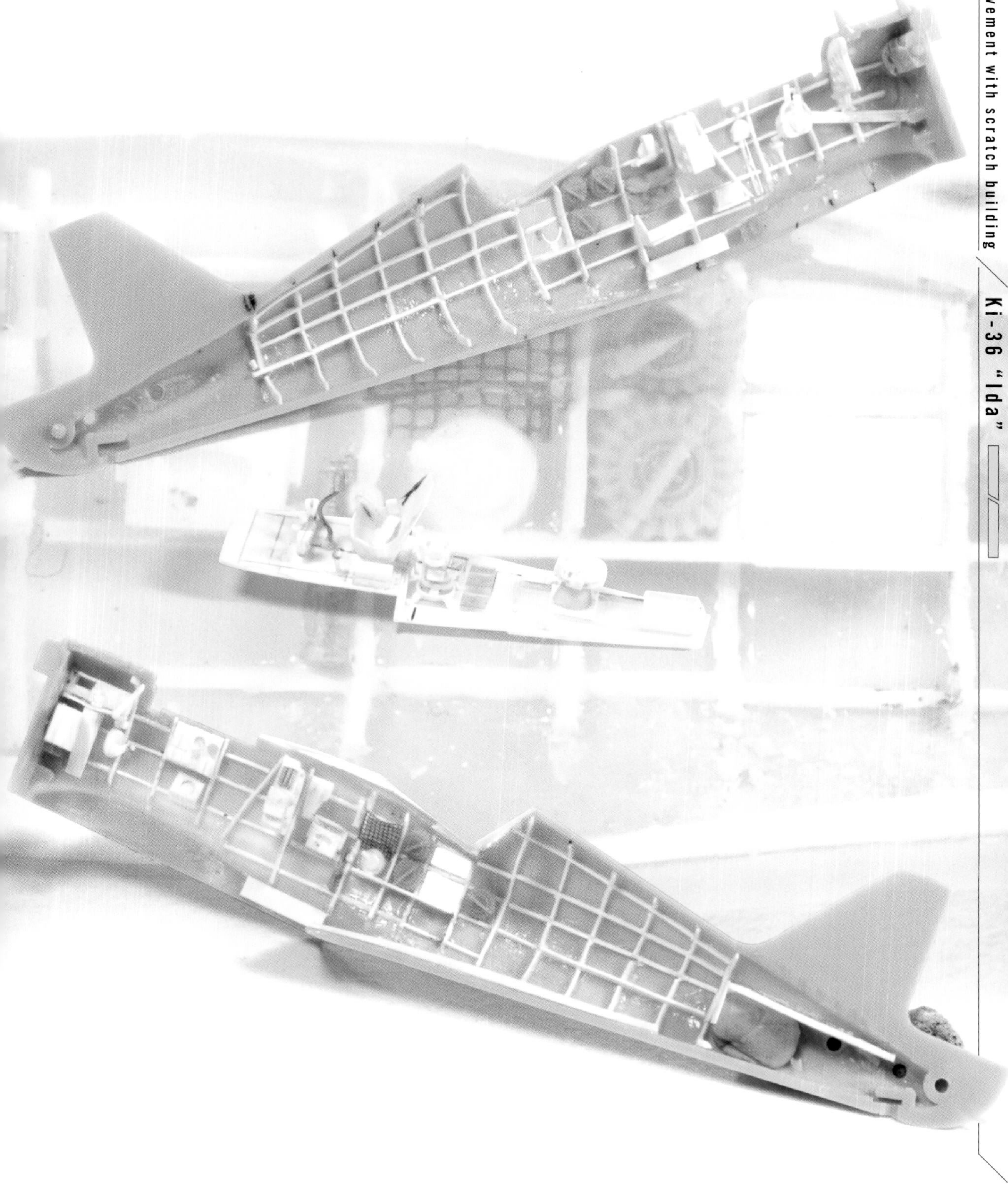

P-40M-5 ウォーホーク
3D プリントによる改造とチッピング技法
（ハセガワ 1/32 インジェクションプラスチックキット使用）
製作／ウィル・パティソン

P-40M-5 Warhawk

SCALE	METHOD	MODELED BY
1/32	improvement with 3D and Chips	Will Pattison

P-40M-5 Warhawk

3Dプリントによる改造とチッピング技法

興味、熱意、執着、そして狂気。飛行機のコクピットに取り組む時、このような言葉ほど簡潔な説明は他に考えられません。模型作りが人生に組み込まれた当初から、私はこの特殊な部分、すなわちコクピットにもっとも魅力を感じていました。一種の強迫観念であったかも知れません。なぜなら写実的な結果を得るための追加工作や変更箇所があると気付いてしまうと、それを実現する方法を見つけるまで手放せなくなってしまったからです。

ですので、編集者のクリスがこの本に参加したいかどうか尋ねてきたとき、私に迷いはありませんでした。皆さんは私のような「暴走機関車」に乗って、ディティール・タウンを目指す旅をしたいわけではないでしょう。それでも旅の荷物のパッキングに役立つヒントにはなるはずです。まずは期待してご乗車下さい。

計画 / the plan

旅に出ようとすれば、目的地が必要ですよね？　本書の目的地は、実機の参考写真となります。一連のカスタマイズで何を実現したいのか？　という問いが出るのは自然ですが、その前にまず「どこから始めるのか」という視点が重要です。そこでまずキットのパーツをよく研究して、表現の要望に足りないディティールを突き止めます。不運にも、もし読者の性格が私と似ているとすれば、この作業がすべてであると断言できます。つまり、このディティールのチェックの時点で、どこまで踏み込んで作るのか決まるのです。交換や作り直しをしたいディティールに対して、どのような技術と材料が必要か考えねばなりませんが、私はこのような客観的評価を、「モデリングの費用対効果」と呼んでいます。じつはこれはとてもシンプルな作業です。ディティールの一つ一つを検証して、それが完成品にどれだけの視覚的インパクトを与えるのか考え、リスクと天秤にかけるのです。この場合のリスクとは、その作業の難易度と、失敗した場合のダメージの大きさと言い換えられます。

分かりやすい例として、航空機のタイヤの荷重を考えてみます。たいていの航空機は自重でランディングギアのタイヤにいびつな膨らみが生じるのはご存じでしょう。硬質プラスチック製の丸いタイヤパーツでは、これをリアルに再現できません。しかもタイヤは目に付きやすいパーツですので、ディティールアップの効果が大きな部分なのです。タイヤの歪みの表現は微細なこだわりですが、リアリティーへの影響は絶大です。

では、これを再現するといかなるリスクが生じるでしょう？
まず膨らみをどのように作るべきでしょうか。例えば、ポリスチレンのタイヤの部品であれば、いくつかの方法は考えられます。熱を加えてタイヤを変形させれば、自然な膨らみに見え

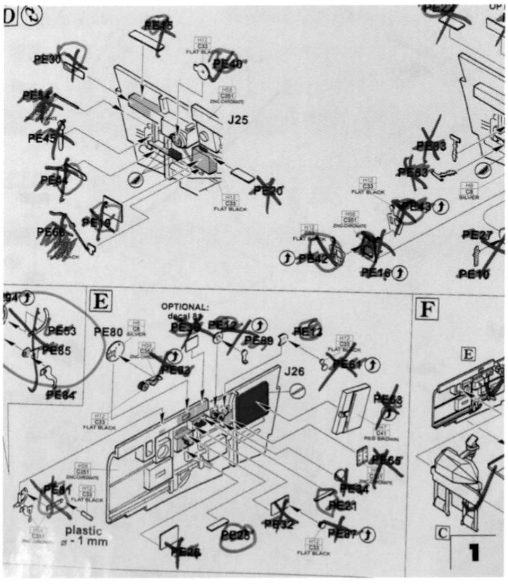

1. キットのパーツをよく研究して、要求に足りないディティールを明らかにします。出発点での理解の深さが大切です。

るかも知れません。偶然に頼るのが嫌なら、エポキシパテなどで膨らみの部分を加工してもよさそうです。

一方、ビニール部品のタイヤでは、改造しても美観と耐久性の両立は困難です。その場合は、CADで3Dモデルを作成して、3Dプリンターで出力することになります。このときの問題は「知識」と「設備」です。いずれも身についていなければ、他人に依頼する手もありますが、この場合は、資金的余裕が問題になります。

以上のように、タスクの達成につながりそうなすべての方法をリストアップしたら、今度はそれぞれの難易度と、失敗時のリスクを検討しなければなりません。3Dプリンター製のパーツでは、積層跡が気に入らない人もいるでしょう。かといって手彫りのパーツの「手作り感」が美観を損ねないとはいえません。熱を加えての変形は、キットがダメになるリスクばかりか、最悪の場合は模型部屋で火事を起こすかも知れません。極めつけですが、IPMSコンテストに出す予定の模型の場合は、機体の水平が損なわれてしまう危険性もあります。

もちろん、どのリスクをとるのか決断を下すのはあなた自身と、あなたがSNSで助言を求めたモデラーだけでしょう。至極当然のことですが、模型を本気で作ろうとするモデラーであれば、キットの大小とは関係なく、似たような決断を繰り返しているに違いありません。もしこれからキットのカスタマイズに挑もうと考えつつも、不安に駆られているようでしたら、改造作業には不向きかも知れません。そもそも、箱から出したパーツをすぐに組み立て始めるのだって、楽しい作業です。

大切なのは、旅行のように模型を楽しむ気持ちなのです。

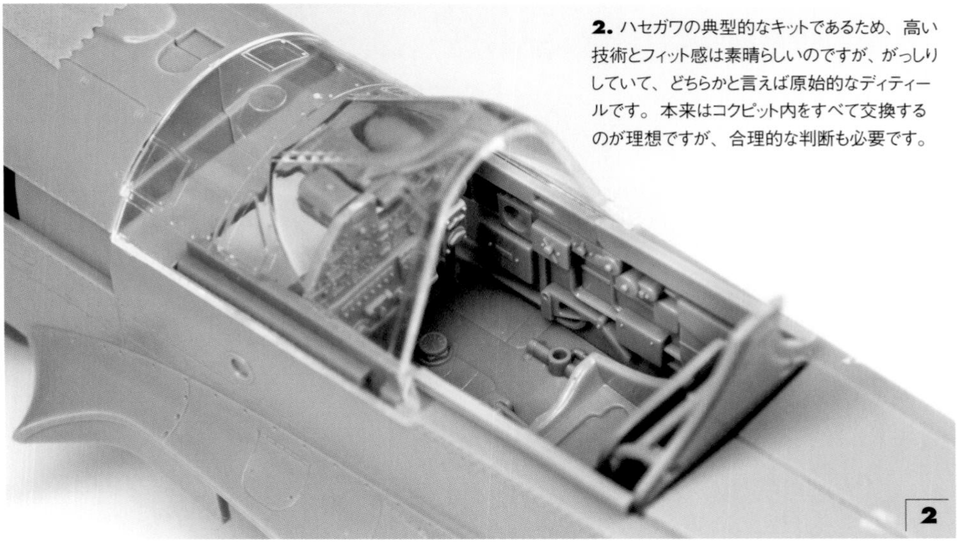

2. ハセガワの典型的なキットであるため、高い技術とフィット感は素晴らしいのですが、がっしりしていて、どちらかと言えば原始的なディティールです。本来はコクピット内をすべて交換するのが理想ですが、合理的な判断も必要です。

では、私が本書で手がけるコクピットのプロジェクトに移ります。これはハセガワの一般的なキットで、造形やフィット感に優れていますが、ディティールが大味で、原始的と言うべき状態です。本当はコクピット内を全交換したいのですが、そこは合理的判断を要します。ケーブルやワイヤーなどは、比較的簡単に取り外して立体的アイテムに交換できますので、選択の余地はないでしょう。次に各種計器類（ギズモと総称します）ですが、これはキットのなかでも単純化されている部分だったので、手を加えて複雑な仕様にすると決めました。箱のように見える部分は、モールドのまま残します。

またこれらのギズモはFusion360でデータ作成して、3Dプリンターで出力するのを前提としています。Fusion360はAutodeskのエントリーレベルのCADシステムです。より高度なCADシステムであれば、InventorやSolidworksなどがありますが、模型で望まれるたいていのことは、Fusion360で実現できます。また大きな違いとして、Fusion360は基本的にあらゆるプラットフォームで動作するクラウドベースのシステムであり、Autodeskが個人のホビーユーザー向けに無料ライセンスを提供していることです。したがって、CADスキルをすでに習得しているならもちろん、これからパーツ設計を手がけたい模型ファンに最適なのです。

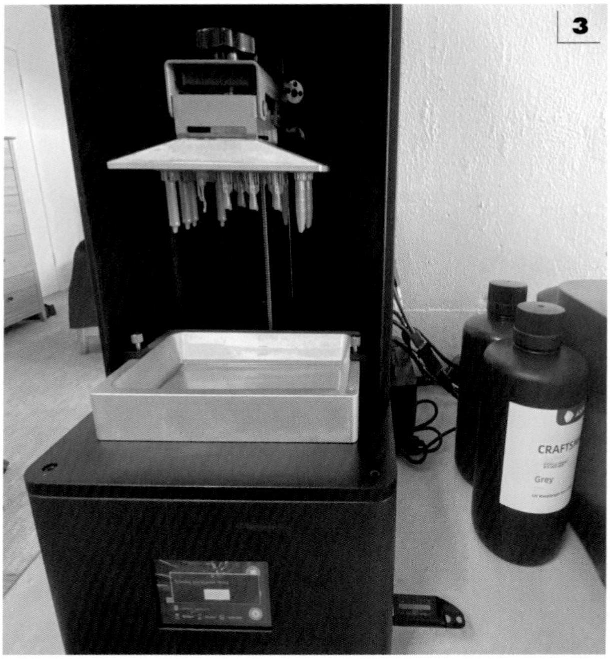

3. このプロジェクトでは、新世代の 4K SLA マシン、特に Phrozen Sonic Mini 4K を試す予定でした。

4. 座席シートの交換は必須でしたが、良い参考資料が見つかりました。

じつはこの企画に合わせて、私は新世代の 4K SLA マシン、特に Phrozen Sonic Mini 4K を試験的に導入してみるつもりでした。これに本気で取り組むならば、3D プリンターに関する基礎知識だけで本書をまるごと使ってしまいそうですが、ここでは簡単に触れるだけにします。

3D プリンター関連技術の選択肢は多様です。3D プリンターのうち FDM（Fused Deposition Modeling）は一般的です。しかし FDM には細密なディティールを再現するには解像度が不足しています。スケールモデラーの求める作業には、たいていの場合は適しません。

SLA はステレオ・リソグラフィー装置の略称で、30 年以上の歴史がある 3D プリンター技術の元祖と呼ぶべき装置です。スマートフォン画面ほどの大きさのスクリーンを使い、感光性の液体樹脂の層にデジタルマスクを通じて紫外線を照射する仕組みで、Sonic Mini など 300 ドル前後の装置が代表的です。

紫外線が当たった部分はすぐに硬化するので、最初の層に塗り重ねるように、一層ずつ折り返して完成させます。4K とはプロジェクションとマスキングを行なうスクリーンの解像度です。

この原稿を書いている時点で、画素の大きさが 47 ミクロンである 2K スクリーンの時代は過去になりつつあります。一方、4K の解像度は 35 ミクロンです。わずかな差のようでいて、これはとても大きな差であり、極めて微細なディティールの再現が可能となります。

ここで問題となるのが、解像度の程度です。コクピット内のガジェット、とくに留め具などのこまかい装備品は、必要な解像度を把握するための格好の機会でしょう。

私が目指すのは、座席シート、スロットル・クオドラント、コントロール・ヨーク（操縦桿）を初め、コクピット内のあらゆる細々としたパーツを設計し、3D プリントすることでした。以上のパーツは P-40 のコクピット内で非常に目立つのですが、キット（特に座席シート）の再現度は高くありません。それどころか、最初から省略されているパーツも少なくありません。これは P-40M 以外のどの派生型を作成するにも問題となります。しかし私はこのプロジェクトが終了する直前まで、この欠落に気付いていませんでした。したがって、これらは特別項目として、最後に再検討することとします。

悔いが残るのは、最後の行程で完全にスクラッチビルドしなければならなかったことです。

1/32 スケールの航空機で座席シートのようなものを設計する方法にも、疑問がわくでしょう。しかしこれも一章まるごと費やすような中身になります。だからといって簡単な説明さえしないのは気が引けます。そこでどのような CAD パッケージにも対応できるよう説明しますが、まず最初に、対象物をなるべく高解像度で、模型と関連する方向から撮影された写真を用意しなければなりません。座席シートであれば、サイドとフロントからの写真です。これらの写真を Fusion360 にインポートすると、適切にスケーリングされます。これで写真をテンプレートとした、ソリッドモデル用のスケッチが作成されるのです。様々な作業を大変に簡素化できるのが分かります。

この座席シートについては、私が自信作と呼べるソリッドモデルに至るまでに20時間くらいかかりました。

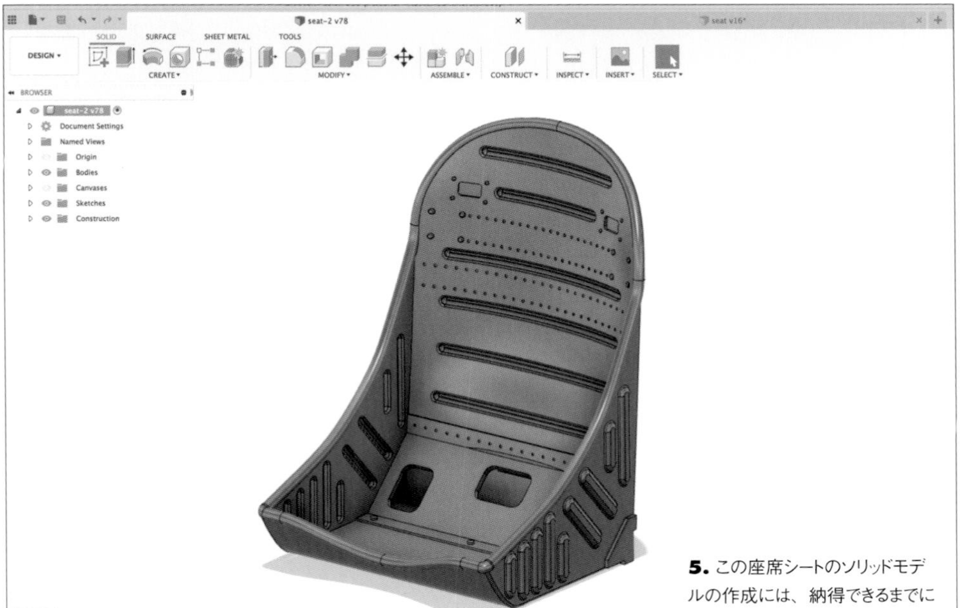

5

5. この座席シートのソリッドモデルの作成には、納得できるまでに20 時間ほど時間を費やしました。

デジタル時代のスクラッチビルド時代における重要なポイントを上げておきます。まず、パーツを原寸大で設計して、それを縮小するべきか。それとも最初からパーツのサイズで設計すべきか。これは賛否両論あり、結局は主観に委ねるほかありません。私の場合は、実際のキットがそうしているように、縮尺に従った設計をしています。原寸大で設計することで、美しいディティールをすべて再現したいという欲求も出てきますが、これを1/32に縮小しても、望む結果は得られません。どのような製造プロセスを選択するにしても、製造技術や技法の制約をしっかり把握する必要があります。3Dプリントもそうですが、「何でも作れる」という謳い文句を鵜呑みにするのは危険です。

こうした事例として、インセット・リベットの再現があげられます。私の経験では、直径0.3㎜までが再現度の限界です。ここで言う「限界」とは、ウォッシングに耐えるという意味です。このように、限界を見据えて設計するか否かが、デジタル・スクラッチビルドと従来のスクラッチビルドの大きな違いです。またデジタルでは単なるコピーを作るのではなく、設計から始めなければならないので、いままでとは頭の使い方が変わり、作業に時間がかかります。しかし私は、この方法がもっとも確実な結果をもたらし、最後には美しい仕上がりになると確信しています。

ただし、細部を追求しすぎて底なし沼に陥る可能性があるのは、デジタルもアナログも同じです。27インチのモニター上で作業をしていると、実際の部品のサイズが1㎝しかないのを忘れがちです。モニター上では美しく見えても、物理的な再現には限度があるのを忘れないように、常にスケールを意識するのが大切です。

しかしながら、2021年の時点で、3Dプリンティングの可能性は驚異的に広がっています。5～10年前には、50万ドルもしたラボのサイズの機械でも実現できなかったことが、300ドルの家庭用3Dプリンターで可能になっているのです。金型から射出成型されたキットを、3Dプリンターで置き換えるのはまだ無理ですが、この技術により、細密なモデルを作成できる領域がどんどん広がっています。

6. 常にスケールを意識するのが重要です。モニター上では素晴らしく見えても、物理的な形では再現できない状況を頭に置いて下さい。

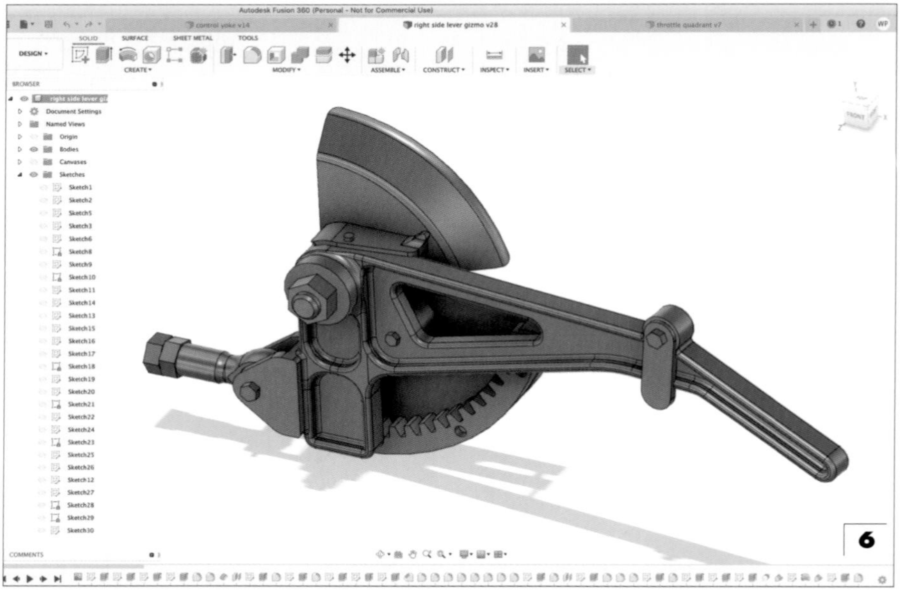

ディティールの解像度とは別に、表面の仕上げも考慮しなければなりません。3Dプリンターはかなりの余剰物を出してしまいます。プリントの向きを変えて軽減させられても、完璧な角度や向きは存在しないので、試行錯誤を要します。またディティールアップ用パーツの理想は研磨しなくても済むことです。今回使用したSLAプリント用樹脂は、どれもきれいに研磨できる材質でした。

7. 表面の仕上げの配慮も重要です。今回はその点はクリアしていますが、シートバックを滑らかにするためには、少し工夫を要しました。

さて、このように模型作りのポイントが明確になったら、次は計画の立案です。私は模型のレシピというような考えはあまり得意ではないのですが、戦術的視点から、一種の行軍計画表のようなものを用意するのは大事です。これは塗装の順番を決める助けになります。また、私は模型をレイヤーの積み重ねと見なしていますので、そのレイヤーをあらかじめ定義しておくことで、完成までのステップが把握できる習慣が身についています。

コクピットのカスタマイズの場合、私は次のようなレイヤー分けを意識しています。

- 設置後の塗装可能なアイテムの製造と追加
- 下塗り
- 適切なチッピング用の配色
- 中間チッピング（必要な場合）
- トップカラー（複数も可）
- チッピング
- ピンウォッシュによる細部の再現（必要に応じて最初にグロスを塗る）
- デカール
- 表面仕上げのグロスコート（必要な場合）
- フラットコート
- 別途に塗装したディティール、またはメタルアイテムのディティールの追加
- ハイライティング（ドライブラシ使用の場合も）
- 既存の塗装を保護するためのフラットコート
- 汚れ、シミ、雨漏りなど
- 最終的なフラットコート（必要な場合）

もちろん、状況により取捨選択は発生しますが、一般的にはこのような手順で進められます。今回のケースで発生する特別な作業については、順を追って説明します。それではステップ・バイ・ステップ方式で説明しましょう。

古き良きものからの脱出 / out with the old

どのようなカスタマイズの作業でも、最初にすべきは、不要な部位を削除することです。状況によって変わる作業なので、明確に言えることは少ないのですが、私はこの種の作業の大半で、電動工具を使います。繊細な作業に電動工具を使うのは乱暴に思えるかも知れませんが、プロクソンの一連の工具の真価は、このような作業でこそ発揮されます。ドレメルの工具より小型でバランスに優れ、適切なカッターを使用すれば、キットの不要なディティールを最小限の処理で除去できるのです。

8. プロクソンマイクロモトは、一般的なドレメル式工具より小型でバランスに優れているので、不要なディティールの研磨にうってつけです。

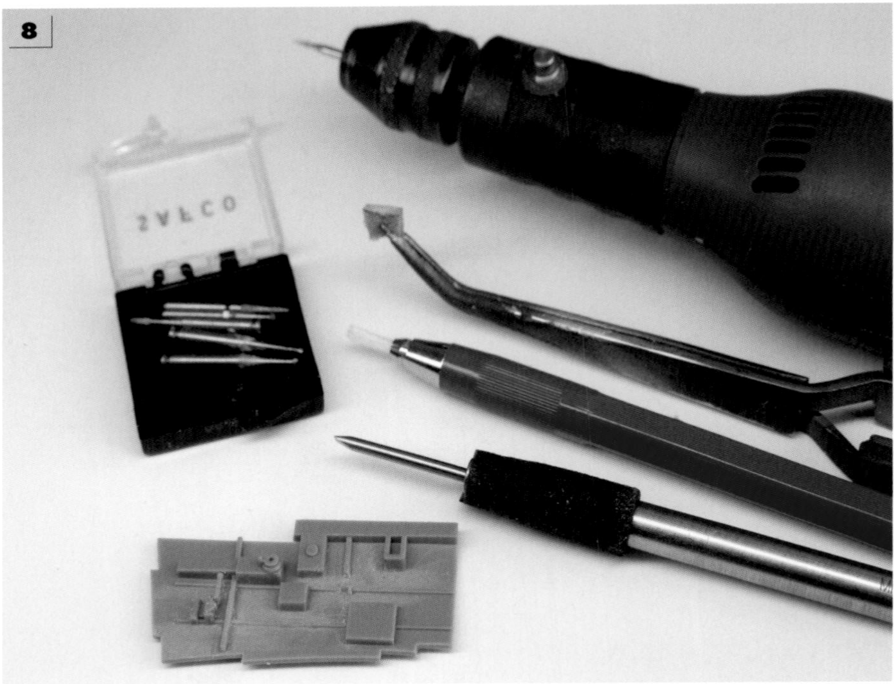

新しきものをともなって / in with the new

ここでは「いま、何を追加すべきか」という本質的な問いかけをします。結果としてほかのものと同じ色になる構造物であるなら、先に設置してしまう方が楽です。逆に色の塗り分けが必要なら、順序を考慮しなければなりません。

接着した後で塗装するか、それとも別個に塗装してから接着するのか、メリットとデメリットをはっきりさせます。塗り分けと組み立てのしやすさのどちらを重視するかという判断です。

私の場合、なるべく色の塗り分けを優先したいので、接着後の塗装は敬遠しがちです。実際、プラスチックパーツであれば塗装後に接着すると台無しになるリスクはありますが、シアノアクリレートやエポキシなどの溶剤を使っていない接着剤であれば、それほど心配はありません。

いずれにせよ、このタイミングで仮組みをしつこく確認します。塗装後の組み立ては、パーツが意図したとおりに組み合わされる確信が得られていれば、ストレスにはなりません。特にワイヤーやホース、ケーブル、パイプなどに顕著です。これらは塗装が難しいパーツなので、もっぱら塗装後に取り付けるようにしています。また機体表面に接着されていたり、モールドされている配管などを塗装しようとしても、本当にまっすぐで鮮明な色の境界を出すのは不可能です。こんな作業にイライラした経験は誰しもあるでしょう。

画像からも分かるように、このキットのコクピットには、ハセガワ製品に典型的な半円成型のパイプ、ケーブルが盛り込まれていますが、私は最初にこれらを削ります。こうした部位を好みのワイヤー（問題なければ私は鉛を使用します）に交換するのは容易ですが、取り付け部位の末端や、配線を通すリブ、隔壁などにあらかじめ穴を開けておくと、工作が楽になります。この工程の重要性はいくら強調しても足りません。これを怠ると、接着剤をこぼさないようにしながら狙いの場所に接着する作業の難易度が上がってしまいます。その煩わしさとリスクに比べれば、塗装済みのワイヤーを既存の穴に通して追加する作業は、散歩のようなものです。

9

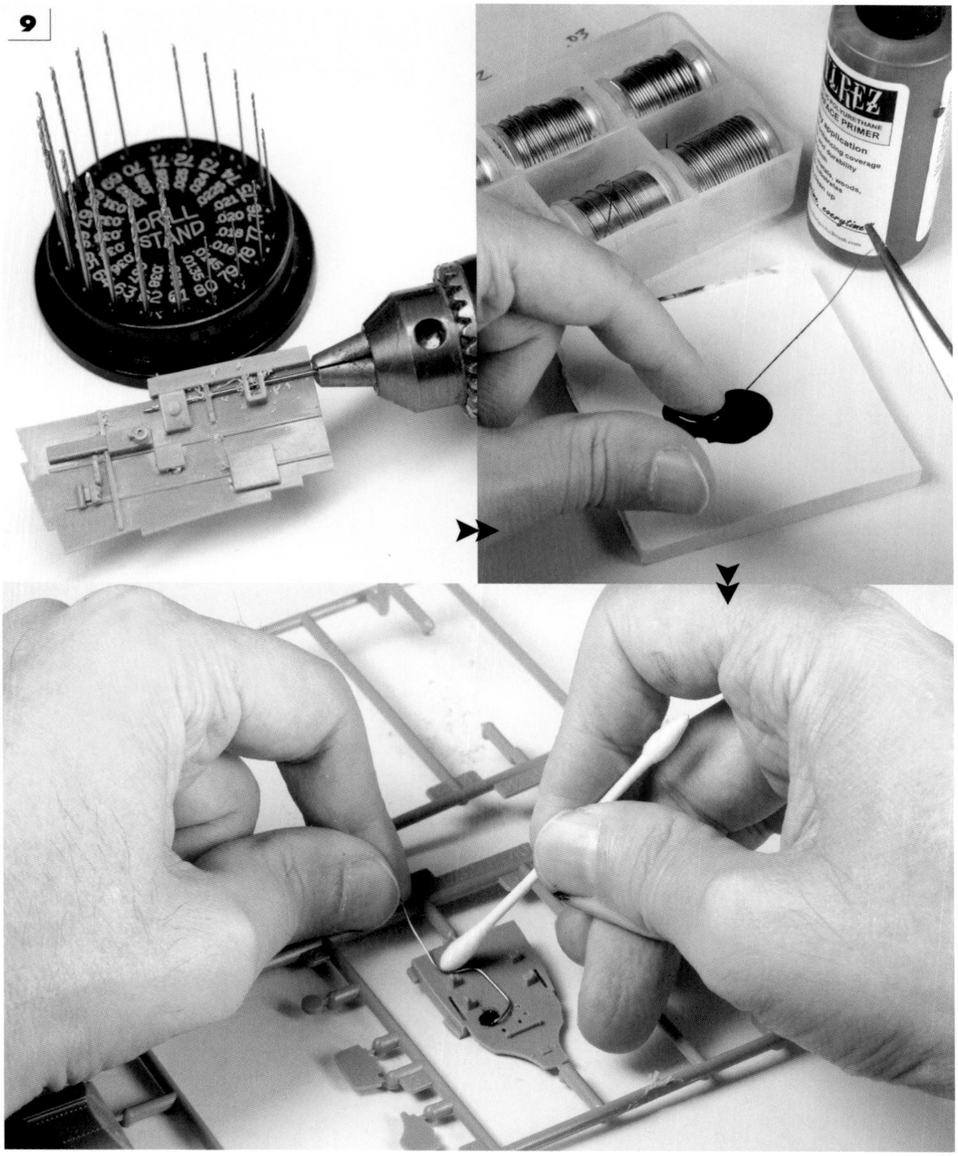

9. キットのコクピットには、ハセガワのデザイナーが好みそうなモールドのパイプやケーブルが配置されています。私はそうしたモールドをリード線に交換しています。簡単な工夫として、取り付けを要する末端部にあらかじめ穴を開けておくと、工作が楽になります。この穴に塗装済みのワイヤーを取り付けるだけなのです。

10

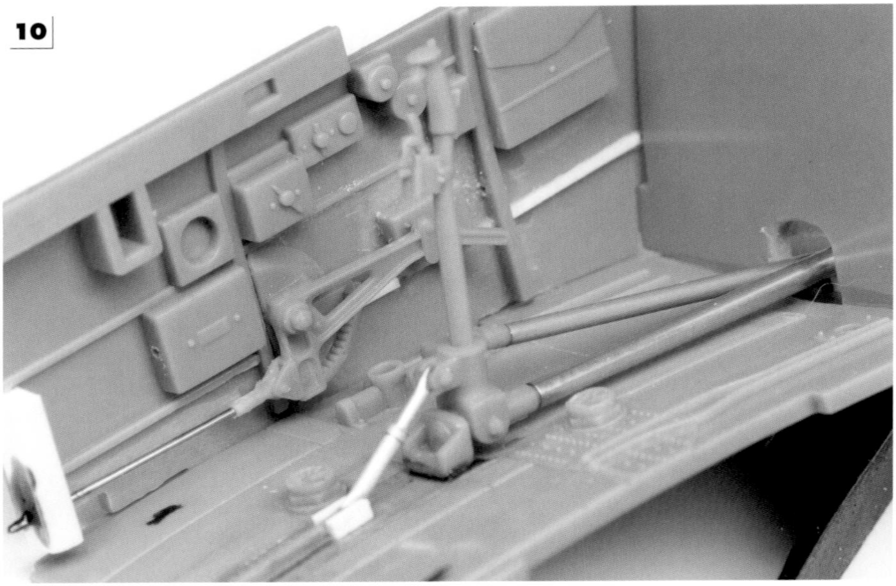

10. もうひとつ、写真のようにロッドとチューブが並んでいます。これらはAlbion Alloys社の真鍮、アルミニウム、洋白（ニッケルシルバー）の部材です。いずれもスクラッチビルドの必需品です。

優先的な方針 / the prime directive

組み立て可能な部位をすべて組み立てたら、次は下塗りに移ります。下塗りは模型の基本中の基本です。プライマーを使わなくても、塗料はしっかり付着するので問題ないという意見もあります。ラッカー系塗料ならその通りですが、アクリル系塗料ではそうはいきません。また下地への密着性を高めるのは、プライマーの機能の一部です。スクラッチビルドでは、ヤスリの傷や接着剤のはみ出しなどの欠点を補うのも重要な役割となります。塗装を始める前が勝負なのです。

11

11. プラスチックやプリント樹脂への塗装、とくにスクラッチビルドの場合は、しっかりした下地の処理が必要です。

古いブロックの欠損 / a chip off the old block

私が手がける模型では、ほぼ必ず塗装の劣化や欠けが表現されます。誰にでも好みの表現方法があり、模型として作った乗り物を、実際に人が使えば生じるであろう摩耗や損傷を表現したいという欲求は、模型に命を吹き込んでくれます。そのため、下地処理と同時にウェザリングが始まるのです。基本的に塗装を追加して汚しを表現する「上塗りチッピング」よりも、塗装を剥がすと、下地としていた塗装が見えてくる「剥がしチッピング」が好みなら、この作業は重要です。

役に立つのがチッピング液ですが、特にヘアースプレーによるチッピングを私は使用します。下地の塗料の上にヘアスプレーを吹き付け、それが乾いたらトップカラーを塗ります。水と適切な道具を使って、トップカラーを刺激すると、ヘアスプレーの成分が再活性して、トップカラーがチップ状になり、剥がれ落ちるのです。パッケージ商品のチッピング液は、こうした手順に最適化された調合ですが、私は、ヘアスプレーの方が安定していて、必要な効果を正確に得られると感じています。私が使用しているのは、Tresemme の Fine Mist Firm Hold #3 というスプレーです。これはマイク・リナルディが書籍『Tank Art』誌上で使用して、非常に優れた効果を出していたものです。同じように使えるスプレーは他にあるでしょう。しかしチッピングの効果を出すのが目的なので、わざわざ代用品を探す努力はここではしません。

12. ヘアスプレーは専用のチッピング液より安定しているだけでなく、必要な結果を正確に得られるでしょう。私は Tresemme の Fine Mist Firm Hold #3 を使っています。その理由は、マイク・リナルディが『Tank Art』の中で試用し、優れた効果を出しているからです。

ここで忠告すべきことは、強力なホールドタイプのヘアスプレーは使用すべきでないということです。一般的にヘアスプレーは水溶性ポリマーを使用しています。アクリル系塗料や接着剤も、このポリマーでできています。主に女性が髪をセットするのに使うヘアスプレーは、このポリマーで髪を接着しているのです。もっとも厳しい条件下で長い髪のスタイリッシュな外観を維持し、かつ健康的に輝かせるだけでなく、簡単に洗い流せなければならない、過酷な使用条件をクリアしているのです。

よほどの科学的化合物のオタクでもなければ、こうした化学物質同士の相性や相互作用、化学反応を事前に知るのは不可能です。それでも、最低でも狙った効果を発揮しつつ、しっかり付着する商品を見つけなければなりません。最良の方法は、実践と練習しかありません。この種のチッピングは、どれだけ丁寧に説明されても、錬金術のようなものなので、確実な成功は約束できないのです。私はいくつかのビデオを通じて、チッピングに関する塗料や素材の組み合わせを検証しましたが、同じ手順でも人によって効果が違うというのが実態でした。

例えばリナルディは缶スプレーを、「腕の長さ」を基準に直接吹き付けるように塗装しています。しかし腕の長さも、トリガーを押す力も人によってまちまちです。当然、その差異を基準に説明されることもありません。私が缶スプレーに挑んでも、どうにも良い結果が得られたことがなく、結局、エアブラシに移りました。これはヘアスプレーも同じで、私はヘアスプレーをカップに移し、エアブラシで吹き付けています。

ヘアスプレーの吹き付けは、卵の殻のような淡い光沢を目安にしています。また、私は二層で塗布するように仕上げます。とはいえ、これはチッピングの色がサビのような濃い色を出す時だけに有効です。またアルミへの塗装はほぼ不可能なので、チッピングの一貫性を保つには留意しておかねばなりません。

そのアルミと塗装については……ここまでヘアスプレーの話ばかりしていますが、ここで二点だけ明確にしておきます。まずプライマーは手を抜かずに塗るべきです。そうでないと塗装が剥がれ、プラスチックの地が見えてしまうことがあります。プライマーの種類はそれほど重要ではありません。サーフェイサー 1500 や、Budger Stynlrez（ラッカー系よりもアクリル系塗料を好むモデラー向け）など、質の良いものであれば、どんなプライマーでも良いのです。耐久性のある下地を作るには、プライマーは重要です。

次に耐久性を得るために、できるだけ強いベースカラーを使用して下さい。当然、ラッカー系となるので、もし苦手なら、ぜひ習熟して下さい。MRP は使用後直ぐに輝きを放つので、私はとても気に入っています。

ヘアスプレーを吹き付ける前に、チップカラーの上に透明なバリアコートを塗る必要があるかという質問を受けたことがあります。一般的に、答えは「ノー」ですが、チップカラーにアクリル系塗料を使用する場合は例外です。特にタミヤの場合、チッピング作業中に水分がベースカラーを溶かしてしまったのを見たことがあります。これは失敗ですが、アクアグロスなどの強度の高い透明アクリルを使えば、ほとんどの問題は防げるでしょう。

なぜアクリル系塗料と同じアクリルでもクリアー剤が丈夫なのか?
アクリルは名前は同じでも、それは一般的な呼称に過ぎず、商品毎に性質は様々なのです。ソーセージにも様々な種類があるのと同じです。だから、やはり実践と試行錯誤で、自分に合ったプロセスを開発すべきでしょう。チッピングの練習は模型の技術向上に不可欠ですが……脱線してしまいました。

ここまでの話でプライマー、チップカラー、ヘアスプレーに触れましたので、次はトップカラーに移ります。チッピングの手順に影響するすべての変数のうちで、トップカラーはもっとも重要です。文字通り、塗料のブランドごとに、ラベルに表示されている材料の種類に関係なく、異なるチッピングの効果を出すはずです。

そういえば、私は試行錯誤が大事だと説明していますね?

ですが、テスト以前にわかりきっていることがあります。私が「普通」のアクリル系塗料と呼んでいるものは、ファレホ、AK、Ammoなど水性ビニールのように、欠けやすいものを原則としています。紙切れが簡単に飛ばされてしまうようなものです。Mission Model Paintも同じくアクリル塗料ですが、こちらは少々予想が付きにくく、欠けやすいと言うよりは、単に溶けてしまうだけではないかと感じる読者もいるでしょう。

それでも、テストしてみればわかりますよね?
タミヤやMr.Hobbyのようなアルコール系ハイブリッドのアクリル系塗料は、アルコールで還元すると比較的簡単に欠けます。ところがラッカー系シンナーで還元すると――私が「ハイブリッドのアクリル塗料」と呼んでいる能力の所以ですが、ピュアラッカーに近い欠け方をしてしまうのです。こうした塗料の特性は、ぜひ実際に試して、自身の経験として把握して下さい。

ところでピュアラッカーとは何のことでしょうか?
MRP、Mr.カラー、タミヤLPシリーズ、AKリアルカラーなどは、ラッカー系シンナーでしか還元されません。その中でもMr.カラーは圧倒的に欠けにくいのです。

では、この強靱さについての説明をしましょう。この強さが、ヘアスプレーによるチッピングにラッカーを使えない原因と主張するモデラーがいます。これは誤解だと断言できます。この強靱さと、チッピングを開始することの難しさは、私にとって、ラッカーによるチッピングを望ましいものなのです。

マイク・リナルディ氏の言葉を借りれば、小さすぎるチッピングには意味がありません。チッピングの視覚的効果については、また説明の機会はあると思いますが、まずはラッカーを使えばもっとも小さなチッピングを実現できる点は把握しておいて下さい。次に、ラッカー系は水性アクリルよりも脆い塗料ですので、破れるというよりは、表面から壊れてしまう傾向があります。これは微細な違いに見えて、実は重大な変化です。

13. どのブランドの塗料も、ラベルの成分表とは関係なく、異なる欠け方をします。チッピングの手順に影響を与えるすべての変数のなかでもっとも重要な部分です。

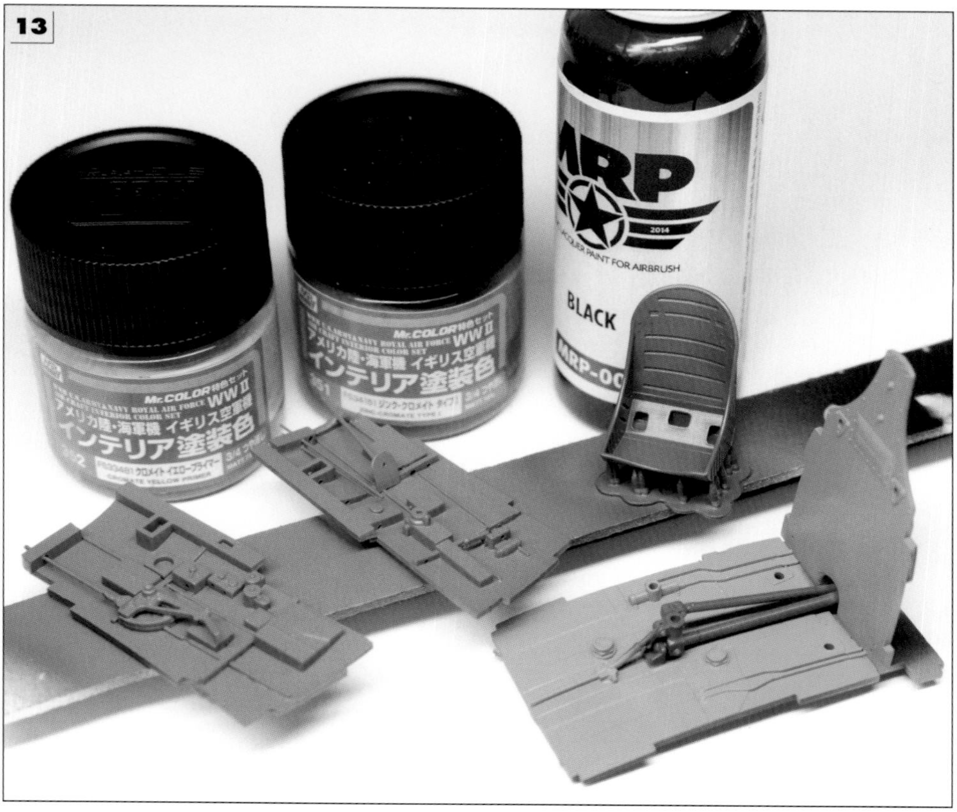

多くのモデラーが、YouTube 動画などを通じて、濡らした筆で塗装面に触れるこで、簡単にチッピングを作っているのを知っているでしょう。しかし、実はこれが事故の元です。もしラッカーでこれを試してしまうと、トラブルの連続で模型の前から離れるのが不可能になってしまい、最終的にその模型は失敗作となったと判断して、投げ捨てたくなるに違いありません。

ですが、踏みとどまって下さい。大きな問題はないのですが、積極的な行動が必要です。具体的には、Deerfoot Stippler と呼ばれる、非常に硬いペイントブラシから始めてみましょう。これがダメなら、グラスファイバー製のスクラッチブラシを使います。ただしグラスファイバー製のブラシには２種類あって、どちらもよく似ているので注意です。先端が太くて柔らかく、極細のガラス製の毛先がたくさん生えているものが理想的です。もう一つはプラスチックを削り取ってしまうような細長いタイプです。これはイジェクターピンの跡などを消すのに最適ですが、詳細はまたの機会に譲ります。

ここで細かいテクニックの解説です。ブラッシングで狙った効果が出せないとき、私は「つつく」作業に切り換えます。あたかもキツツキが、ラッカー塗装の下にある美味しいチップ状のエサを啄むイメージです。この作業で空けた小さな穴に水分が浸透し、ヘアスプレーの効果を消すのです。

これもダメな場合は、別の方法を試します。使用するのはピンセットと 600 〜 800 番のスポンジ研磨剤です。私は Infini Model の道具が好きですが、同じように使えるものは他にもあります。長方形の小さなスポンジ研磨剤をピンセットでつまみます。少し水に浸し、そしてこの研磨剤を使って効果を出したい部分をタッチすれば、塗膜の破損を表現できるでしょう。塗膜が破損したら作業を停止して、もう少し刺激の少ないツールに切り換えます。この作業に慣れると、工程が大幅に楽にった実感を得られるはずです。

テクニックは、それ自体がひとつの技法となると言いました。ここでは、塗装がどのように剥がれ落ちるのか、その微細なメカニズムを説明します。本来のチッピングとは、何らかの理由で下地から剥がれ落ちてしまった塗装の再現です。しかし塗装の剥がれ方は一様ではありません。単に表面からすり減るだけというのもあれば、いくつかのメカニズムが相互作用する剥がれ方もあります。ですが、すり減った塗装の再現はとても簡単で、1500 番のような目が細かいスポンジ研磨剤を使って、下の材質の色が露出するまで、慎重に研磨するだけです。これはチッピング液も必要としません。

二つのテクニックを組み合わせる場合は、かならず乾燥した状態で削ります。私がドライ状態での研磨を主張するのは、現実のチッピングと同じ状態になるのを待つためです。この手順を守ることが、ランダムな摩耗の効果をしっかり制御する秘訣であると伝えたいのです。一方、座席シートの塗装を剥がすのに使ったのは、標準的なチッピング技術です。

パフォーマンス充分なチッピング / high performance chip

さて、チッピングのプロセスについて長々と書いてきましたが、見栄えを良くする方法も重要です。私が還元的チッピングを好むのは、実生活に似たカオス状態をコントロールできるからです。塗装の摩耗は一見すると無秩序のようですが、実際は一定のパターンに沿っています。積層法のチッピングは、脳が要求する秩序への欲求と衝突しがちです。いずれにしても、私はチッピングを五つの局面で理解するように心がけています。

1. サイズ

模型のサイズに矛盾が生じるのは自明ですが、模型で伝えたいストーリーのために意味のあるサイズというのは存在します。極小の傷やこすれや、大きく剥がれ落ちた塗装面を使って、あなたはどんなことを物語ろうとしているのでしょうか？　いずれにしても小さすぎる欠損はあり得ません。チッピングの実例を研究すると、摩耗部分が大きい場合でも、その周辺に小さな欠けがあるのがわかります。また原寸で数mmの塗装の剥がれを模型で再現しようとすれば、いったいどれほど小さくなるか想像してください。

2. 形状

これも自明ですが、積層法でのチッピング塗装がもっとも苦手とする表現です。そして還元的なチッピングでは、現実の変化を再現しているため、毎回、完璧な形状を得られます。

3. 場所

模型のストーリーを伝える的確な方法ではなく、欠けを見せることを目的として、コスト度外視でチッピングをちりばめているような作例を目にすることがあります。なぜその場所にチッピングをするのか……理由が明確でないなら、不必要な作業かも知れません。もっとも、何十年も廃棄されている機体から塗装が剥げ落ちているような表現は例外です。

4. ディストリビューション

そろそろニュアンスが変わってきました。「分布」や「配分」とも言いますが、ディストリビューションは、ロケーション、つまり「場所」を洗練させたものと考えて下さい。「場所」とは、例えばこのドアならチッピングが生じるはず、というような判断です。そしてドアの取っ手付近と、人が出入りするドアの縁にチッピングがもっとも見られるだろうと考えるのが、ディストリビューションなのです。説明の仕方としては邪道ですが、やってはいけないものと理解するとわかりやすいでしょう。誰のチッピングで、どんな道具を使ったというのは、ここでは追究しませんが、例えばパネルラインに沿って等間隔にチッピングが見られるというのは、脳が創り出す規則的な分布であって、私を含め他人から見ると、意図的な工夫が施されていると気付いてしまいます。また摩耗痕の形状にもディストリビューションが反映されます。典型的な例として、スピットファイア戦闘機の左翼付け根付近によく見られる、特徴的な細長い三角形の摩耗パターンを思い起こしてください。

5. ディフュージョン

おそらく本物らしいチッピングの重要な要素です。ディフュージョンとは、ここでは「孤立している欠損」という意味合いですが、実際は、このような欠けは稀です。つまり一カ所の塗料が塊のように欠けている場合、その周辺の塗装に何の影響もないとは考えられません。大きな欠けの周りには他の欠けが密集していて、主な摩耗箇所から離れるにしたがい、小さくなるのが普通です。古い摩耗箇所を中心に広がるものと考えて良いでしょう。「拡散」ではなく「散乱」という表現でも当てはまります。

その他のこと / the rest of the things

ここまでの説明で、本書の「コクピット」のプロジェクトについて私が革新的、ユニークと思うほとんどのことに触れてきました。正直なところ、他の部分はとても簡単です。チッピングを終えたら、オイルウォッシュとデカール作業にかかります。

デカールは、塗装の上からそのまま貼りました。Anyz と Airscale のいずれも、貼るのは簡単ですし、完成品に本物らしさを加えられます。

14. Anyz と Airscale は、どちらも簡単に塗装できて、完成品の精度を高めるのに抜群です。

電設を模倣した塗装済みのリード線も含めて、すべて簡単に組み立てられたのは、楽しい工程でした。事前によく計画して、あらかじめ穴を開けていたことが効を奏して、ストレスなく作業できたのです。ハードな作業ではなく、スマートな作業を心がけたのです。

しかし、このコクピットの場合、計器盤の右にあるキャブレターやエアベント・アクチュエーターなどの装置を反映するのを見落としたことが悔やまれます。作例は P-40M-5 なので、排気筒の手前の小穴が明けられたグリルが特徴です。このアセンブリはキットの成型品にはなっていないのですが、エデュアルド社のエッチングは、正直奇妙です。

本章の割り当ても終わりかけていますが、〆切りの関係もあり、Fusion360 で設計、出力する時間がありませんでした。とはいえ、この作例では効果はあまり出ないと思われます。そこでスチロール材やロッド、Albion のアルミチューブ、エッチングパーツなどを使って、昔ながらのスクラッチビルドで処理しました。部品点数は 20 点ほどで、これまでのスクラッチではもっとも複雑な作業となりました。特に時間がないなかで、このような形に仕上げられたので、とても満足しています。

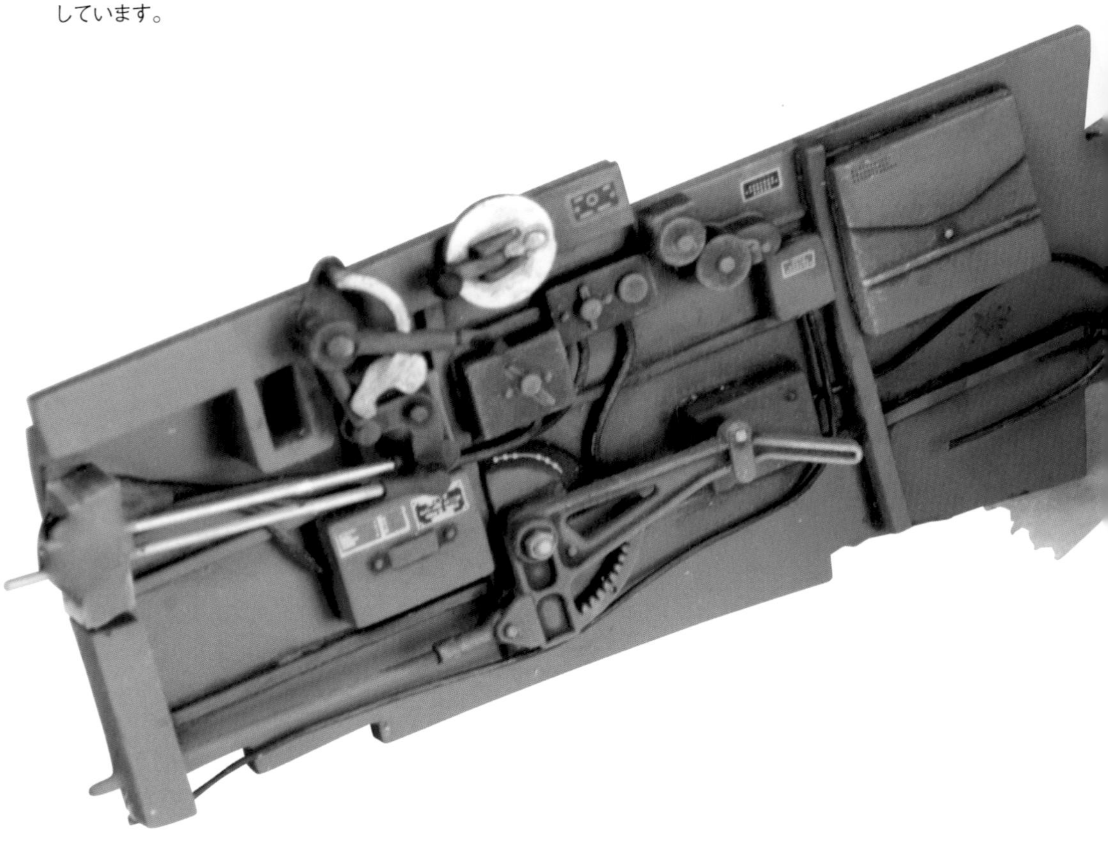

それからパネル類も特筆すべき部分で、経験豊富なモデラーなら様々な部品が混ざっているのに気付くでしょう。キットのモールドは印象的ですが、ややもっさりしています。しかも塗装を考えると、気が重くなります。エデュアルド製〈Look〉パネルは、樹脂製で、木とパーツや通常のエッチングパーツに比べて立体的な浮彫が優れていますが、プリントに難があります。そこで Yahu の上部パーツの登場です。全体的な組み合わせはかなり上手く行った印象です。

結論 / conclusion

完璧とは言えませんが、私はこのプロジェクトの成果に満足しています。いくつかの局面で限界に挑み、全体的には勝利したと確信しています。P-40Mのコクピットははかなり開放部が大きいので、1/32のキットではキャノピーを閉じた際の視覚的インパクトは相当なものです。またここに上げたテクニックやアイデアは、他の模型メーカーのコクピットのディティールアップに利用できるものでしょう。

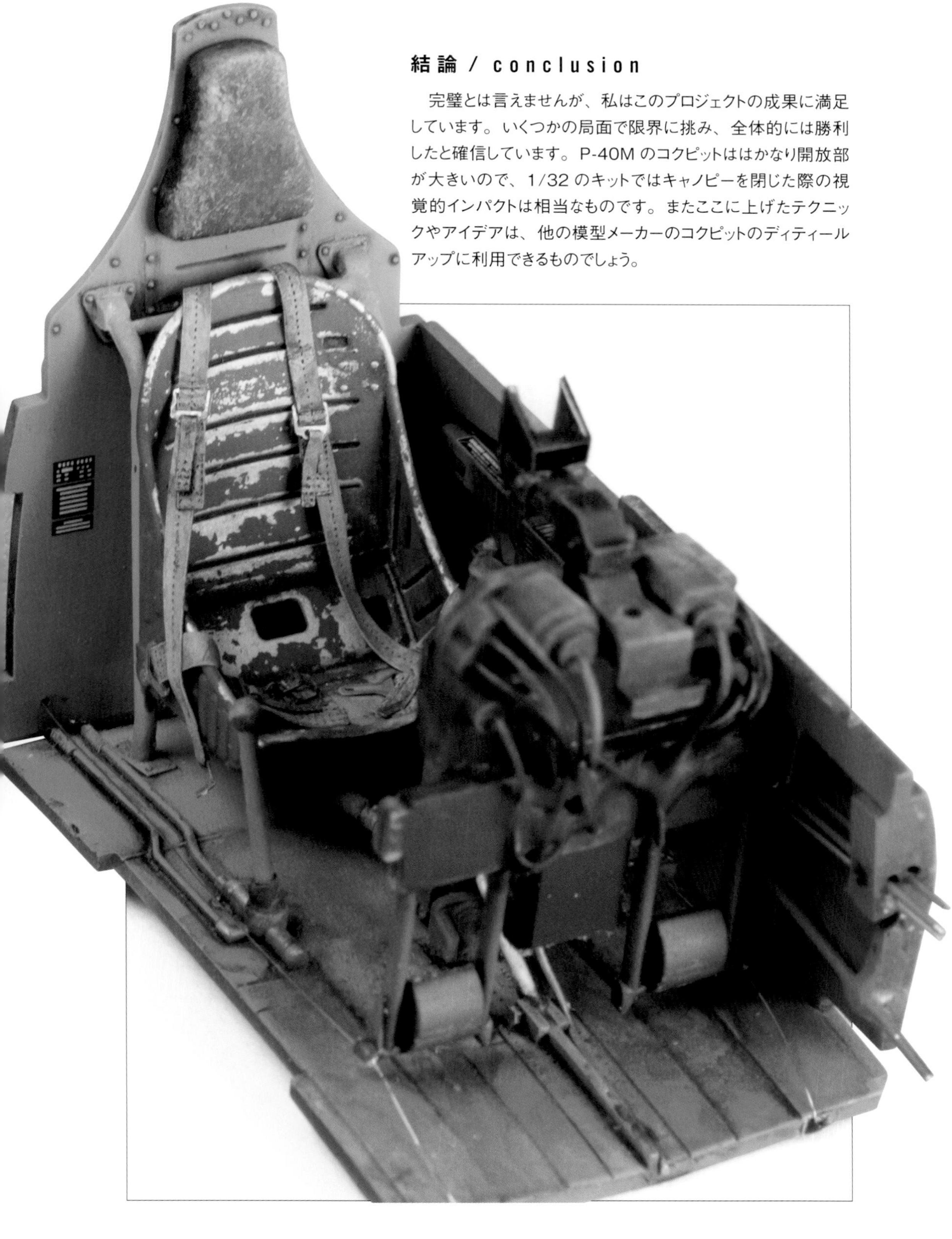

F7F Tigercat　タイガーキャット
3D プリントによる改造とチッピング技法
（ハセガワ 1/32 インジェクションプラスチックキット使用）
製作／フランク・ルービン

F7F Tigercat

SCALE	METHOD	MODELED BY
1/32	improvement with 3D and Chips	Fanch Lubin

イントロダクション / introduction

私の親友はコミック・アーティストで、彼が朝鮮戦争を舞台とした作品を描き始めた時には、F-7F3N タイガーキャットを登場させるよう熱心に説き伏せ、遂に実現したのです。

最初の問題は、1/32 スケールのタイガーキャットが、HPH モデルのレジンキャストキットだけしかなく、それも単座／写真偵察期型の F-7F3P であることでした。コクピットだけでなく観測員の席も作成する必要がありました。私は 2 年ほど前から CAD ソフトでパーツを設計して、3D プリンターで出力するようになっていたので、この機会にさらに深く学び直し、これまでとは違う幅広い場面で活用しようと決めました。

このようなプロジェクトでは、ひたすら参考資料集めに時間を賭ける必要があります。私は W.E. シャーボロー大尉が手がける伝統的な『Squadron In action book』と、コーウィン・メイヤー、スティーブ・ギンターの素晴らしい『Naval Fighters number 75』を入手しました。

また HPH モデルは、レストア機を用いずに、優れたカラーリファレンスを提供しています。またおなじみ、広範囲にわたるインターネットの調査からも、興味深い図面やコクピットのレイアウトが分かる操縦マニュアルなど、ありがたい成果が得られました。

参考文献で理論武装することで、着手すべき仕事の明確な見取り図ができたのです。

新しいパーツの作成 / creating new parts

コクピットは、右側面の無線機のレイアウトを変更して、四角いレーダースコープが据えられた新たなフロントパネル、適切な火器のアーミング・ノブ、その他、私にできうる限りの改良を加える必要がありました。HPH モデル製レジンキャストパーツとエッチング・パーツにも改良の余地があるため、私は胴体のモールド構造はそのままにして、コクピットの大半を作り直すことにしました。

参考文献から、初期型とは異なる -3N 型のレイアウトにも注目です。座席シートは初期の簡素なキャンバス地から、四角の金属製バケットシートになっています。酸素ボンベは左側のボックスに収用されて、右側にはマップケースがあり、そこにリリーフチューブが取り付けられています。『Naval Fighters』は、この点で包括的な参考資料でした。

私は 2 種類のフリーソフトを使い、すべての作業を 3D プリンティングで行うことにしました。

Fusion360：

私が愛用している CAD ソフトです。既存のモデラーの機材に例えるなら、デジタル要素のエバーグリーン、プラストラクトのプロファイルボックス、Extra Thin Cement の小瓶に該当するでしょう。このソフトウェアは、ソリッドモデルの作成や、実生活で青写真に描かれるような部材の作成に適しています。デジタル・モデリングと 3D プリントを試す場合、このソフトは普及していて、ネット上に多くのチュートリアル映像があるので有利です。

またモデラーの定番でもあるので、模型で使用する時のアドバイスを容易に得られます。いまではほとんどのフォーラムや、ソーシャルメディアのモデラー・グループで、Fusion360 に関する知識を得られるでしょう。

モデラーとして培ったマインドセットも大きな利点です。もしあなたにスクラッチビルドの経験があるなら、CAD ソリッドモデリングの学習の一部を、意識せずに習得していることになります。どちらの技術も、複雑な形状を分析して、単純な形状のパーツの集合体に分解して考えるという、頭の訓練では共通しています。プラスチック材の形状を作成する手順ですが、まず長方形を描き、その表面を三次元方向に引っ張ると箱状になります。それを今度は押し出すと、ほしい形状になります。この形状を他の面に重ねると、極薄の接着剤で貼り合わせたという理屈になります。

ソフトウェアの機能の多くは、模型用の作業台でしていることと同じです。図面を回転させたり、軸のまわりを切除するのは、フライス盤での作業と似ていますし、図面から切除面を投影することは、メスを使ってプラスチック材の組み立てパーツに切り込みを作るのと同じです。ディティールアップや無線機など、簡単な造形から始めると、すぐに楽しい成果が得られます。達成可能な目標をこなし続けることは、果てのない訓練の崖に挑むモチベーションの源です。

Fusion360 ほどの頻度ではないですが、私は Blender というソフトもよく使っています。これも無料のソフトで、インターネット上で膨大なドキュメントが公開されています。シーン、フィルム、静的オブジェクトのデザイン、彫刻、重量や風などの応力のシミュレーション、その他、マテリアルに様々な効果を加えるのを得意とする多機能ソフトウェアです。インターフェイスはこちらの方が複雑なので、Fusion360 でワークフローを身につけた後で試すのを推奨します。

本書では、ヘッドレスト作成を含む二つのタスクに Blender を使用しました。ソフトウェアと模型道具の比較を続けますが、Blender はエポキシパテに似ているかも知れません。タブレットを使うと、自然な感じで作業できます。

ヘッドレストの造形に納得した私は、Blender のディスプレイスメント・マッピング機能で質感を与えました。その基本は革の質感を生むグレートーンの画像をパーツに重ね合わせることです。ソフトウェア上でピクセルを上下に調整しますが、白は下部のレベル、黒は上限の高さ、そしてグレーはその中間のレリーフになるのです。

飛行機のモデリングでは、Blender はタイヤの歪みを作ったり、飛行前の〈Remove Before Flight〉のタグが風に揺れる表現などに使用できますが、これらはまた別の話です。

1

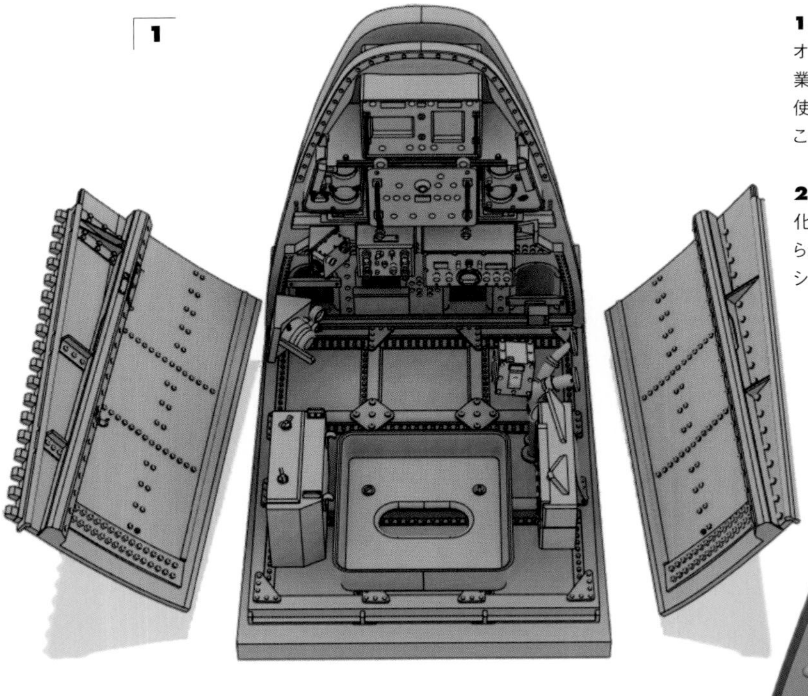

1. Fusion360 は、硬質の機械的なオブジェクトの作成に適しています。作業台では、通常ならスチレンボードを使ったり、輪郭、外形を作る作業が、これに該当します。

2. Blender は、布製部材などの有機化合物や、このヘッドレストのような柔らかいオブジェクトに最適です。エポキシパテの代用と考えて良いでしょう。

2

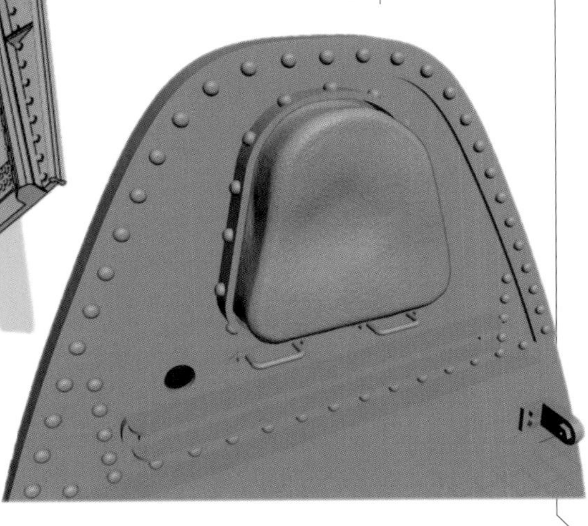

コクピットのデザインは、いくつかのガイドラインに従っています。

作業の早い段階で既存のパーツがうまくフィットすることが確認できたので、それを利用しました。胴体の半分に追加のスペースを作るようなことはしたくなかったので、既存の充分なスペースに作業を集中するよう心がけました。

今回のプロジェクトでなければ、まず胴体内の空間を大きくして、その寸法に合わせたコクピットのパーツを作る手順としたかも知れません。

Fusion360 には、写真から 3D データをインポートして、これを調整できるキャリブレーション機能があります。そしてそのデータを加工できるのです。これで基本的な形状を作るのに大幅に時間を節約できましたが、ディティールを追加する前に、まずテストフィットパーツで幾度か試す必要がありました。

基本となるディティールのないパーツを作り、テストしてみると、上手くフィットしました。こうなれば、あとはディティールや特徴を詰めていくのは楽しい作業です。

またデジタルが得意な、規則的パターンの作成も活用してみます。ブレーカーやボルト、スイッチ類をまっすぐに並べられるのです。作成したアイテムを指定してパスを描くと、簡単な手順でパスに沿ってアイテムをコピーしてくれるのです。また穴も簡単に付けられるので、友人のトム・エニーズに譲ってもらったスイッチやノブ、ボタンの取り付けにも理想的でした。採寸して穴を開ける必要がなく、慎重に組み立て公差で位置を決めて穴のデータを組み込むだけで、驚きの結果が得られます。

公差あるいは許容範囲（Tolerance）は、3D プリンティングを使用すると直ぐに馴染む概念ですが、プリンターによって値が異なります。例えば私が使用している Sonic Mini 4K の場合は、スムーズなスライドフィットを実現できる公差値は 0.15㎜です。

またデジタル・モデリングならではの特徴として、コクピットをデザインする際に、パネルラインの深さ幅、あるいはプレート同士の高さを自由に設定できます。例えばリベットも半球状から、薄い円柱の上に半球を重ねたような形状のデザインにもできます。これは塗装の下地にも影響

3

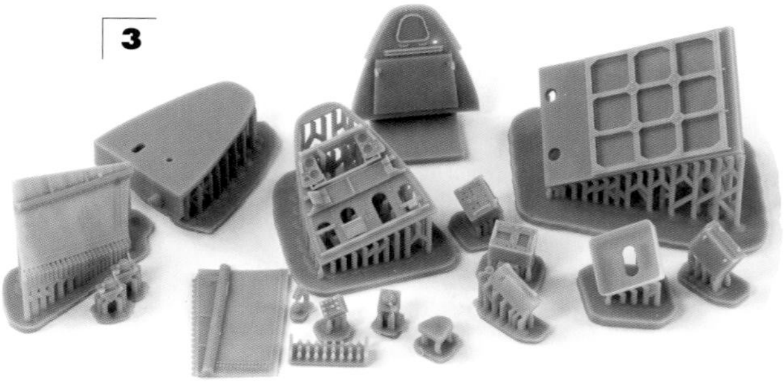

3. レジンを使うプリンターから得られるようなパーツです。目に見えない部分や、取り外す際に研磨で細部を傷つけないような場所に支持体を貼り付けられるのが、このプリント技術です。

します。ピンウォッシュやドライブラシ、フィルターなどのかかり具合を決められるからです。同じパーツでもモデラーによってデザインが違ってくるので、スタイルや個人の好みが反映されるのです。

プリンターの解像度も、ディティールの大きさを決める重要な要素です。ディティールを増し、鮮明かつシャープにできる最小値となるからです。4K あるいは 8K といった新世代プリンターなら操縦桿のグリップや、革製部品の表面でさえレンダリングできるようになっています。

数週間のデジタル作業を経て、パーツの準備ができましたが、モニター上の作業に時間がかかっていることを嘆く必要はありません。この趣味で最後にモノを言うのは、やはりニッパーやヤスリ、小刀、そして太い指であることに変わりはありません!

塗装 / painting

参考文献を調べているうちに、模型に物語性を与えるべく、コクピットに組み込んでみたいと思う要素がいくつか出てきました。特に写真からは、コクピットの色が多彩であるのが分かりました。HPH モデルから提供された、修復されていない機体の写真では、内装のグリーン系の塗料の下に淡黄色のジンクロロメート層（さび止め顔料の亜鉛黄）があり、その摩耗が下地に及んでいるシートが確認できました。

他の資料では、付属品によって様々なトーンのグリーンが確認できること。また基本は緑色ながら、夜間運用のために、パイロットのコンソールの上が黒に塗られているようなパーツも確認できました。フロントキャノピーの作動ハンドルや側壁の一部が、オリジナル機体の胴体外板と同じナイトブルーで塗装された例もありました。このような多彩なグリーンを作るため、各塗料メーカーの商品からパレットを作り、ドロップボトルを数本用意して、いくつかのトーンを作成しました。メインとなる内装のグリーンは安定と信頼性の Mr. カラーの C351 で、これに AK Real Color のインテリアグリーン RC262、ブロンズグリーン RC264、ライトグリーン RC028 などを混ぜて調整しています。私がジンクロロメート層に選んだのは AK RC263 で、グリーンを数滴垂らしました。またブルー系は AK RC258 を使用しています。

コクピットの配色では黒系も重要です。私の好みはダークグレーで、ブラックやオフブラックから作り上げ、サンドイエローで好みの色に調整します。時間が経過しても違和感の無い程度に明るくしておく必要があります。なぜなら、経験上、他の色で狙った色を出しても、また黒に見えてしまいがちだからです。

4. エアブラシとヘアスプレーによるチッピング処理後の主要パーツ。後者の技法は、より細かな傷や欠けの実現を目指す、終わりなき探求の旅です。様々な色調のグリーンは、再塗装を繰り返した歴史を語り、チッピングは酷使され続けている環境を偲ばせます。

4

多彩な塗装はストーリーを語り、風化や欠損も別の物語を語ります。私はヘアスプレーのテクニックを使って、参考文献で確認できた風化を表現しようと思い立ちました。タミヤの LP-11 で金属の下地を作り、ヘアスプレーを吹き付けて、トップカラーを塗るというものです。

ヘアスプレーを軽く二度吹き付けることで、薄くて鮮明なチッピングの効果を得られます。吹き付けすぎると、筆で色塗りをした際にチッピングが大きくなって、コントロールが困難になります。スプレーの相性などをあらかじめ特定するのは困難なので、経験を積むためにも実践は不可欠です。作例では何層もの塗り重ねを要する箇所がありました。座席シートには緑と黄色、金属色が必要で、黒く塗装した部分には、グリーンと金属の下地が必要でした。ところが硬く濡れたブラシを使うと、水分がすべてのレイヤーに行き渡るのが早すぎて、簡単に剥がれてしまう問題があり、もう少しコントロールが必要でした。そこでヘアスプレーの上に、AK Real Color Satin のクリアーをバリアとして機能させて、次の色に移行する時間を稼ぎました。また、塗装に数時間の間隔を空けて、充分に乾燥させました。

チッピングを終えて、あらかじめデカールに想定したクリアーのバリアを塗布し、ピンウォッシュとオイルフィルターでウェザリングを施しました。本機のような作戦機は泥だらけの野外で使用されていたので、足元にはアースカラーを使用しました。

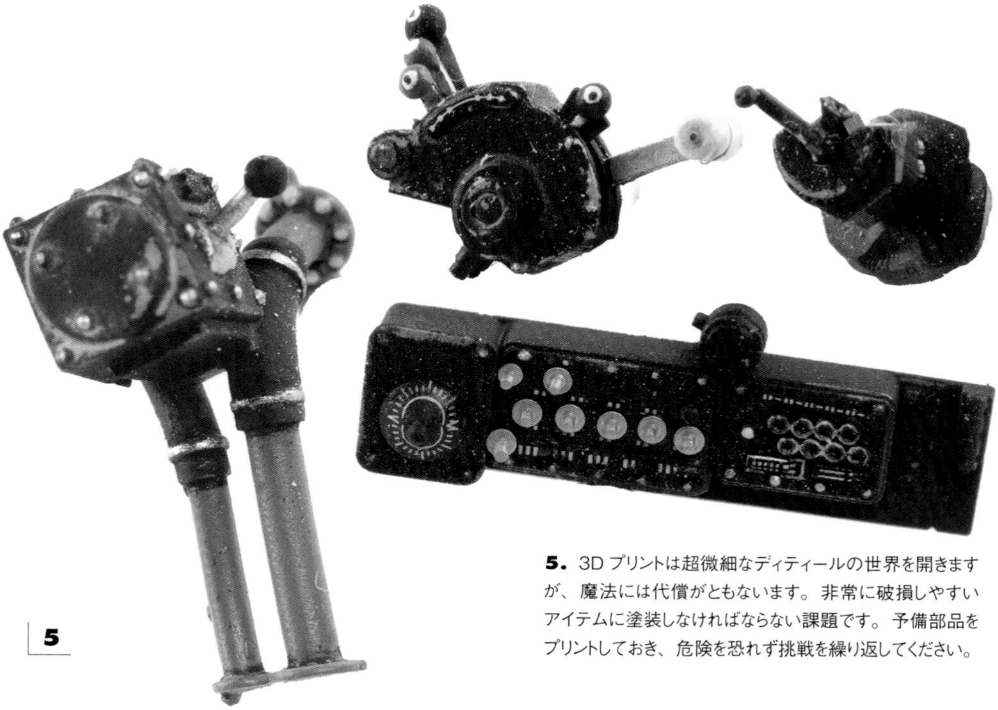

5

5. 3D プリントは超微細なディティールの世界を開きますが、魔法には代償がともないます。非常に破損しやすいアイテムに塗装しなければならない課題です。予備部品をプリントしておき、危険を恐れず挑戦を繰り返してください。

デカール / decals

Anyz はスイッチ関係だけでなく、コクピット用の特別なデカールも供給しています。まっさらなコンソールに塗装を施し、ボタンの位置にデカールを貼り、もう追加する必要がないという状態になってから壊れやすいスイッチを追加する、コクピット製作の新しい技法が成立します。色分けが上手く働き、効果的です。

注意書きのデカールと計器盤を追加して、UV クリア樹脂で埋めることで、コクピットは安定します。3D プリンターは魔法や奇跡をもたらす一方、パーツが破損しやすいので注意を要します。タイガーキャットの製作プロジェクトのゴールは遠いですが、このコクピットは、私の 3D プリント学習のマイルストーンとなりました。今後の長い道のりも楽しみたいと思います。

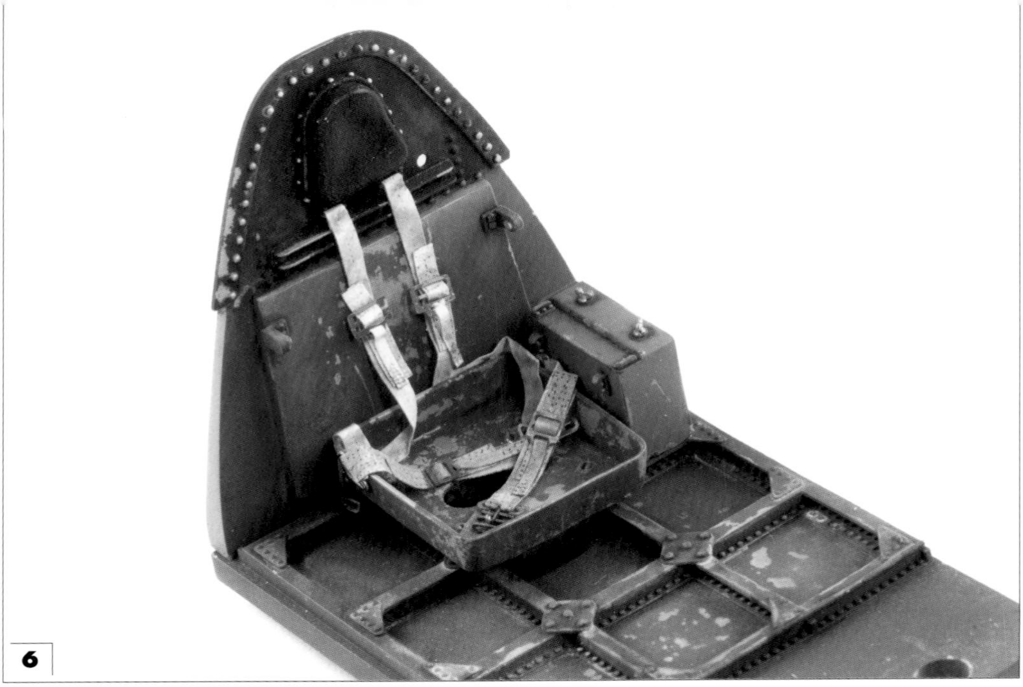

6

6. 観測席はバケットシートで、足元が翼の直ぐ下にあるので、狭く窮屈です。

7. Sonic Mini 4K、あるいはこれに準じる装置であれば、コントロール・グリップの質感など、細部まで表現できます。

7

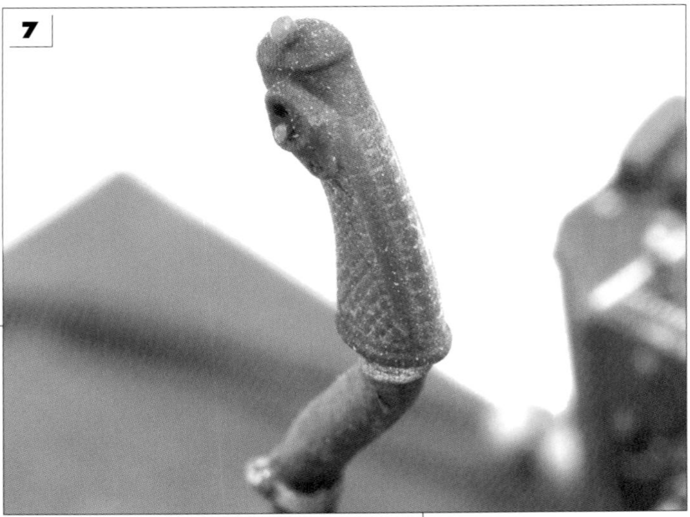

8

8. コクピットのサイドウォールは、HPH モデルのディティールを唯一残した部分です。右側のコンソールには若干のクリアランスが必要です。私は自然なレンダリングを好みます。しかし見栄えの観点では、コクピット内の空洞から外に光を発するようなイメージで、コクピットの外側より少しコントラストを強める方が良いでしょう。

Perfect Pits

making the most of your scale aircraft cockpits

モデラー ／トム・エニーズ
クリス・メディングス
ウィル・パティソン
イェルーン・ビーン
フランク・ルービン
翻　訳／ 宮永忠将
編　集／ モデルグラフィックス編集部
関口コフ
デザイン／ 波多辺健（ハタ）

Perfect Pits - making the most of your scale aircraft cockpits
written by Tom Anyz, Francois Lubin, Chris Meddings, Will Pattison and Jeroen Veen

Originally published in England in 2022 by Inside the Armour Publications

パーフェクトピッツ
発行日　2023 年 1 月 2 日　初版第 1 刷

発行人／小川光二
発行所／株式会社大日本絵画
〒 101-0054　東京都千代田区神田錦町 1 丁目 7 番地
URL；　http://www.kaiga.co.jp

編集人／市村弘
企画／編集　株式会社アートボックス
〒 101-0054　東京都千代田区神田錦町 1 丁目 7 番地
錦町一丁目ビル 4F
URL；　http://modelkasten.com

印刷／製本　大日本印刷株式会社

内容に関するお問い合わせ先　03-6820-7000（株）アートボックス
販売に関するお問い合わせ先　03-3294-7861（株）大日本絵画

Publisher/Dainippon Kaiga Co., Ltd.
Kanda Nishiki-cho 1-7, Chiyoda-ku Tokyo101-0054 Japan
Phone 03-3294-7861
URL；　http://www.kaiga.co.jp
Editer/ Artbox Co.,Ltd
Nishikicho 1-chome, 4th Floor,
Kanda Nishiki-cho 1-7, Chiyoda-ku Tokyo101-0054 Japan
Phone 03-6820-7000
URL；　http://modelkasten.com

ISBN978-4-499-23360-6